Бегство
от безопасности

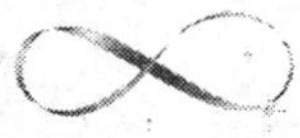

Ричард Бах

Бегство от безопасности

«СОФИЯ»
ИД «ГЕЛИОС»
2001

УДК 820(73)–31/32
ББК 84.7СП06-44
Б30

Б30 Ричард Бах. Бегство от безопасности.
Перев. с англ. — К.: «София», М.: ИД «Гелиос», 2001. — 256 с.

ISBN 5-220-00187-6
ISBN 5-344-00123-1

Когда держишься в полумиле над землей на нейлоновом крыле и надежде на восходящий поток воздуха, жизнь висит на честном слове. Честное слово Ричард Бах дал пятьдесят лет назад — испуганному ребенку, которым он был в то время, пообещав вернуться к нему и передать все, чему сам научится от жизни. Обещание оставалось неисполненным до тех пор, пока в один прекрасный день, паря между небом и землей, Ричард не встретился с девятилетним Дикки Бахом — неутомимым оппонентом всех своих представлений...

Ричард и Дикки переживают головокружительное приключение, штурмуя вечные вопросы. Оба должны найти на них ответы, чтобы обрести целостность.

Почему расти духовно означает никогда не взрослеть? Возможно ли мирное сосуществование с результатами наших выборов? Почему самым сумасшедшим нашим мечтам может дать крылья только бегство от безопасности?

И новая встреча с Дональдом Шимодой, Пай, Чайкой по имени Джонатан Ливингстон.

Originally published by arrangement with Alternate Futures Inc., c/o Richard Bach and Leslie Parrish–Bach, William Morrow and Co., 1350 Avenue of the Americas, New York, NY10019 USA

ISBN 5-220-00187-6
ISBN 5-344-00123-1

ОГЛАВЛЕНИЕ

Введение 11
1. 16
2. 25
3. 29
4. 33
5. 37
6. 43
7. 46
8. 49
9. 53
10 56
11 61
12 64
13 67
14 69
15 76
16 79
17 85
18 90
19 95
20 100

21 .... **107**
22 .... **114**
23 .... **121**
24 .... **129**
25 .... **135**
26 .... **141**
27 .... **149**
28 .... **158**
29 .... **159**
30 .... **165**
31 .... **170**
32 .... **177**
33 .... **187**
34 .... **198**
35 .... **201**
36 .... **213**
37 .... **220**
38 .... **228**
39 .... **234**
40 .... **237**
41 .... **239**
42 .... **250**
Эпилог **253**

Если бы ребенок, которым вы были когда-то, спросил у вас сегодня о самом лучшем, чему вы научились в жизни, — что бы вы ему рассказали? И что бы вы открыли для себя взамен?

Бегство от безопасности

приключение духа

ВВЕДЕНИЕ

Моя истина прошла длительную переработку. Полагаясь на интуицию, я с надеждой разведывал и бурил ее месторождения, фильтровал и концентрировал в долгих размышлениях, затем осторожно попробовал подать ее в свои двигатели и посмотреть, что из этого выйдет.

Было несколько выхлопов, одна-две детонации, и я понял, насколько капризной может оказаться моя самодельная философская смесь. Весь в копоти, но поумневший, только недавно я осознал, что работал на этом странном топливе большую часть своей жизни. По сей день я с тщательно выверенным безрассудством капля по капле повышаю его октановое число*.

Я взялся за создание этого своего топлива вовсе не для забавы, и не потому, что никогда не заправлялся обычным. Страстно ища первопричины бытия и цели существования, я, пилот ВВС, словно подросток, знакомился с религиями, штудировал Аристотеля, Декарта и Канта на вечерних курсах.

И вот последнее занятие закончено, я медленно и тяжело шагаю по тротуару, охваченный странным унынием. При всем моем старании я вынес из классов лишь одно: эти господа еще меньше моего знали, кто мы и почему находимся здесь, а мои представления на этот счет были не более чем редкими проблесками понимания.

Эти мощные интеллекты бороздили стратосферу выше потолка моих армейских истребителей. Я намеревался беззастенчиво позаимствовать их опыт, но, сидя в аудитории, вынужден был сдерживаться от крика: «Кому все это нужно?!»

* Определяет антидетонационные свойства топлива. — *Прим. перев.*

Практический Сократ восхищал меня тем, что предпочел умереть за принципы, когда этого легко было избежать. Другие были не так требовательны. Такие огромные фолианты мелкого шрифта — и в конце концов единственный их мудрый вывод: «Тебе самому решать, Ричард. Откуда нам знать, что потребуется именно тебе?»

Курс окончен, и я бесцельно бреду в ночи, шаги гулко раздаются в пустоте университетского городка и моей души.

Я пришел на эти занятия в поисках руководства, мне необходим был компас, чтобы пройти через джунгли. Существующие религии казались мне шаткими, плохо скрепленными мостками, готовыми обрушиться при первом же шаге, превращая детские вопросы в неразрешимые загадки. Почему религии цепляются за Вопросы-На-Которые-Нет-Ответов? Неужели непонятно, что «Нет ответов» — это не ответ?

Снова и снова, встречаясь с новой теологией, я задаю себе простой вопрос: могу ли я эту веру претворить в мою жизнь?

И каждый раз под тяжестью этого вопроса причудливые построения начинают шататься и трещать, затем внезапно обрушиваются у меня на глазах.

Я хотел бы спасти мир от подобного обвала. Что чувствует человек, который отдал всю жизнь какой-нибудь религии, гарантирующей конец света 31 декабря сего года, и проснулся в новогоднее утро от пения птиц? Он чувствует себя одураченным.

За моей спиной в темноте послышались женские шаги. Я посторонился вправо, чтобы пропустить незнакомку.

Вот я и закончил курс, изучив два десятка философий, самых ярких в истории человечества, и ни одна не дала мне ответа. Все, чего я у них просил, — это указать, как мне смотреть на мир, чтобы просто жить. Вроде бы не такой уж и сложный вопрос для Фомы Аквинского или Георга Вильгельма Фридриха Гегеля. Их ответы, однако, подходили только им самим и были совершенно бесполезны в моей жизни, такой далекой от них.

— Неужели ты ничему не научился? — сказала она. — Ведь тебе только что дали то, что ты надеялся найти все эти годы, а ты этого не понял?

Вспышка раздражения. Эта женщина не просто проходила мимо, она прислушивалась к моим мыслям!

— Простите? — переспросил я как можно холоднее.

Темноволосая, с дерзкой светлой прядью, старше меня лет на двадцать, просто одетая. Не подозревает, как я поступаю с незнакомцами, врывающимися в мои раздумья.

— Ты получил то, что пришел узнать, — сказала она. — Чувствуешь ли ты, что твоя жизнь сейчас меняет направление?

Я оглянулся. На тротуаре позади меня больше никого не было, и все же я был уверен, что она принимает меня за кого-то другого. Я никогда до этого не встречал ее — ни на занятиях по философии, ни где-нибудь еще.

— Мне кажется, мы с вами не знакомы, — сказал я ей.

Она неожиданно рассмеялась.

— «Мне кажется! Мы с вами не знакомы!» — Она помахала рукой у меня перед носом. — Тебе показали, что готовых ответов не существует! Ты что, не понял? Только один человек может ответить на твои вопросы!

О Господи, подумал я. Сейчас она сообщит мне, что спасение — в Иисусе, и омоет меня в крови Агнца. Может, отпугнуть ее, начав громко цитировать Библию? Я набрал в легкие воздуха.

— Когда Иисус сказал «Только через Меня придете к Отцу нашему», Он говорил о Себе не как о бывшем странствующем плотнике, а как о воплощении духа...

— Ричард! — сказала она. — Пожалуйста!

Я остановился и повернулся к ней, ожидая, что будет дальше. Она все так же улыбалась, и ее глаза блестели звездным сиянием. А она выглядит вовсе не такой уж бесцветной, как мне показалось вначале. Неужели раздражительность мешает мне видеть людей?

Пока я смотрел на нее, уличное освещение, должно быть, изменилось. Она не просто привлекательна, она настоящая красавица.

Она терпеливо ждала моего полного внимания. Может быть, меняется она сама, а не освещение? Что происходит?

— Иисус не даст тебе того, что ты ищешь, — сказала она. — Как и Лао-цзы или Генри Джеймс. Если бы ты сейчас всматривался в нечто большее, чем хорошенькое личико, ты бы обнаружил... ну-ну, и что ты обнаружил?

— Я вас знаю, не так ли? — сказал я.

В первый раз за время разговора она нахмурилась.

— Черт возьми, ты прав.

Сколько я помню, так было всегда. Всегда кто-то шел за мной по пятам, сталкивался со мной, когда я поворачивал за угол, возникал в метро или в кабине самолета — чтобы объяснить, в чем суть урока того или иного странного события.

Сперва я считал этих людей фантомами, плодом моего собственного воображения; и первое время так оно и было. Но каково же было мое удивление, когда несколько следующих моих ангелов-учителей оказались такими же явно трехмерными смертными, как и я сам, пораженными не меньше моего неожиданной встречей.

Через некоторое время я уже не мог точно сказать, кем были те, кто следили за мной и моим обучением, — фантомами или смертными, поэтому я решил относиться к ним как к обычным людям — до тех пор, пока они не исчезают посреди разговора или не переносят меня в другие миры, чтобы проиллюстрировать ту или иную идею.

В конце концов, это не так уж важно — кто они на самом деле. Некоторые из них были ангелами, забывшими представиться, и мне потребовались годы, чтобы увидеть их крылья. Других я считал живым Откровением, а они потом оказывались просто дурной вестью.

Эта книга рассказывает об одной из таких встреч на моем скромном пути к истине, о том, чему она меня научила и как эти знания изменили мою жизнь.

Похожи ли ваши уроки на мои? Кто я — ангел с опаленными крыльями, несущийся по той же трассе, что и вы, или один из тех странных субъектов, которые, невнятно бормоча, пристают к вам на улице? Некоторых ответов мне никогда не узнать.

Однако поторопимся, чтобы не опоздать к началу первой главы.

Один

Я стоял на вершине горы и следил за ветром. Далеко у горизонта он гнал легкую рябь по поверхности озера, слабея по мере приближения ко мне. В двух тысячах футов подо мной ветер сгибал несколько столбиков дыма над городскими крышами, шевелил живой изумруд листвы на деревьях у подножия горы. Указатели ветра из тонкой пряжи периодически оживали в восходящих тепловых потоках у края обрыва — полминуты трепета, две минуты ленивого затишья.

Хорошо бы ветер подул, когда буду прыгать, — подумал я. Подожду порыва.

— Ты сегодня болван, или можно мне?

Я обернулся и повеселел: это была Сиджей Статевант, затянутая в стропы и зашнурованная от ботинок до шлема парапланеристка, ростом едва достигавшая моих плеч. Из кармана летного комбинезона выглядывал ее талисман — затертый плюшевый мишка. Позади нее на земле сверкало нейлоновыми красками аккуратно разложенное крыло.

— Я жду, пока подует сильнее, — сказал я ей. — Можешь идти вперед, если хочешь.

— Спасибо, Ричард. Свободно?

Я уступил ей дорогу:

— Свободно.

Она постояла секунду, всматриваясь в горизонт, затем отчаянно ринулась к краю обрыва. Какое-то мгновение это выглядело самоубийством: она мчалась к неминуемой смерти на камнях внизу. Но уже в следующее мгновение крыло параплана хлопнуло мягкой тканью и взорвалось вихрем ярко-желтого и розового нейлона, прозрачным облаком заклубилось над ней, — и появился огромный китайский воздушный змей, чтобы спасти ее от безумной смерти.

К тому моменту, когда ее ботинки коснулись края обрыва, она уже не бежала, а летела, повиснув в люльке из ремней, от которых протянулись прочные стропы к гигантскому крылу.

Ее муж наблюдал за полетом, застегивая крепления своих ремней.

— Давай, Сиджей, — прокричал он, — найди нам подъем покруче!

Первый, кто прыгает в пропасть, называется ветряным болваном. Остальные наблюдают за ним и загадывают, будут ли сегодня сильные восходящие потоки воздуха у края обрыва, а значит, и высокие парящие полеты. Если молитва не поможет, то в застывшем воздухе останется только спланировать на дно долины и затем снова карабкаться наверх; иногда, если повезет, какой-нибудь добродушный водитель, проезжающий по горной дороге, подбросит вас на вершину.

Яркий балдахин развернулся и стал подниматься. Мы, шестеро ожидающих своей очереди, прокричали дружное ура. Но параплан тут же снова заскользил, теряя высоту. Раздался стон. Вероятно, в этот день даже самый опытный летун не продержится в воздухе более получаса.

Я некоторое время наблюдал за Сиджей и чуть было не прозевал свой долгожданный порыв ветра: листья зашелестели, взметнулись указатели, закачались ветки деревьев. Самый момент.

Я повернулся к ветру спиной и потянул за веревки. Мое крыло приподнялось с земли, с шелестом и треском наполнилось воздухом и, словно гигантский парус торгового корабля, ринулось в небо.

Впечатление было такое, как будто я тяну на веревках за собой перистое облако или шелковую радугу размахом в тридцать метров от края до края. Из-под краев ткани, еще касавшейся земли, вырвались и затрепетали ярко-желтые указатели ветра. Я стоял среди воздушного потока, а надо мной пульсировал купол: без перьев и воска, этот воздушный змей удержал бы Икара от падения на землю. Да, для него он опоздал на три тысячи лет, а для меня появился как раз вовремя.

Скосив глаза, я посмотрел на свою радугу изнутри, проверяя, не запутались ли стропы, и повернулся лицом к ветру.

Чертовски прекрасна жизнь. Я налег на ремни и стал подтягивать моего змея к краю обрыва, медленно и тяжело, как водолаз в своем костюме перед погружением в пучину. Наконец — последний шаг за хлипкий край обрыва; но вместо того, чтобы сорваться вниз, я отрываюсь от края, радуга надо мной поднимает меня ввысь, и мы летим над вершинами деревьев, удаляясь от горы со скоростью пешехода.

— Давай, давай, Ричард! — кричит кто-то.

Я легонько оттягиваю стропу управления, разворачиваюсь и улыбаюсь через воздушную пропасть пяти парапланеристам, стоящим на вершине горы среди кучи шелка и паутины строп. Им тоже не терпится накинуть на ветер тонкую ткань и унестись туда, где небо примет их в свои объятия.

— Отличный подъем! — кричу я им.

Но порыв ветра, поднявший меня вверх, внезапно стих; восходящий поток иссяк.

На уровне моих глаз, пока я скользил вниз и пытался поймать хоть какой-нибудь поток, появились и проплыли мои друзья на вершине горы. Вдали к северу от меня летала Сиджей; накренив параплан, она вращалась в крутой спирали и с трудом удерживала высоту. Внизу подо мной проплывал склон горы, переходящий в глубокую пропасть.

Два года назад, подумал я, у меня здорово поднялся бы уровень адреналина в крови: зависнуть в одиночестве на пятидесяти шнурочках в полумиле от земли. Сейчас все это больше напоминало ленивые грезы о полете: нет никаких приборов, нет кокона из стекла и металла вокруг меня, только переливы красок, дрейфующих над головой по воздушному океану.

В какой-то миг сбоку возник ворон и застыл на расстоянии равновесия между страхом и любопытством. Голова от удивления повернулась набок, черный глаз напряженно уставился на меня: никак, фермера ухватила и несет радуга!

Я откинулся на стропах, как ребенок на высоких качелях, посмотрел на склон горы подо мной и оставил свои попытки поймать восходящий поток. Об этом ли я мечтал в детстве, когда запускал на лугу бумажного змея? Быстрее орла была мечта, но медленнее бабочки оказалась эта нежная, мягкая дружба с небом.

Внизу простиралось широкое зеленое поле, которое мы облюбовали в качестве места для посадки. Вдоль дороги стояли припаркованные машины тех, кто решил понаблюдать за полетом парапланеристов. Нацеливаясь на ровный участок травы, который все еще качался в сотне футов подо мной, я насчитал пять стоящих машин; шестая тормозила. Мне казалось странным, что кто-то на земле стоит и смотрит, как я провожу в небе свое личное время. За исключением тех моментов, когда я участвовал в аэрошоу, я всегда чувствовал себя невидимым во время полета.

Через десять минут после того, как я шагнул в воздух, я опять встал на твердую почву, сбавил скорость полета крыла до нуля, ступил на одну ногу, потом на другую. Крыло все еще держалось надо мной, страхуя от падения. Я потянул за задние стропы, и крыло снова превратилось в мягкий шелк, окружив меня цветным облаком.

Сиджей и другие виднелись точками высоко в небе; временами зависая, они с трудом поднимались вверх, переходя от потока к потоку. Они сражались упорнее, чем я, и наградой за их труд было то, что они все еще были в воздухе, тогда как я уже стоял на земле.

Я разложил крыло на земле и стал складывать его от краев к центру, пока оно не превратилось в мягкий прямоугольник; я прижал его к земле, чтобы вышел весь воздух из складок, туго свернул и уложил в рюкзак.

— Хотите, подброшу вас наверх?

Голос ангела парапланеристов, благая весть о спасении от полуторачасового подъема пешком на вершину горы.

— Спасибо! — Я обернулся и увидел седоватого коротышку с дружеским взглядом преподавателя колледжа. Он наблюдал за мной, скрестив руки и прислонившись спиной к машине.

— Интересный спорт, — сказал он. — Отсюда снизу вы выглядите как фейерверк.

— Да, это приятная забава, — сказал я, поднимая тюк за одну лямку и направляясь к машине, — но вы не представляете, насколько лучше ехать, чем идти пешком в гору.

— Отчего же, представляю. И рад помочь вам. — Он протянул мне руку. — Меня зовут Шепард.

— Ричард, — сказал я.

Я бросил рюкзак с парапланом на заднее сиденье, а сам устроился рядом на пассажирском месте. Это был ржавенький «фордик» 1955 года выпуска. Рядом с водителем на истрепанной обшивке переднего сиденья лежала книга заглавием вниз.

— Сверните налево по трассе, и там еще около мили до следующего поворота, — объяснил я маршрут.

Он завел мотор, дал задний ход и выехал на трассу.

— Отличный день, не правда ли? — сказал я.

Уж если кто-то настолько мил, что сам предлагает подвезти тебя на вершину горы, то, видимо, нужно с ним поболтать из вежливости.

Он помолчал некоторое время, будто бы внимательно следя за дорогой.

— Вам приходилось встречать когда-нибудь людей, похожих на героев ваших книг? — вдруг спросил он.

У меня упало сердце. Это, конечно, еще не конец света, если незнакомец знает твое имя. Но я мечтаю об обществе Анонимных Знаменитостей, ведь никогда не знаешь, почему тебя узнал *именно этот* незнакомец и чем это может закончиться. Ощетиниться на цветы поклонников — покажешься высокомерным дураком. Но и обниматься с пучеглазым маньяком немногим лучше, чем целоваться с бомбой.

В первую секунду я подумал, что передо мной маньяк и мне следует немедленно распахнуть дверцу и выпрыгнуть на дорогу. Но затем я решил, что это можно пока отложить на случай крайней необходимости, тем более что в качестве ответа на заданный вопрос прыжок из машины выглядит не очень хорошо.

— Все герои моих книг существуют реально, — ответил я, решив, что доверчивая правдивость будет лучшим средством от неприятностей, — хотя с некоторыми из них я не встречался в пространстве-времени.

— И Лесли тоже действительно существует?

— Ее любимый вопрос.

К чему он клонит? Разговор с каждой минутой становится все менее невинным.

— Здесь лучше свернуть, это дорога к вершине. Она грязная и местами крутая, но по ней легче подниматься. Будьте внимательны на вершине. Эти парапланы такая заразная вещь, что вы даже не заметите, как попадетесь на крючок и никогда уже от этого не отделаетесь.

Шепард пропустил мою уловку мимо ушей.

— Я спрашиваю потому, что я сам один из тех, о ком вы писали. Я был с вами, еще когда вы были мальчишкой. Я ваш ангел-учитель.

Я объявил Максимальную Боевую Готовность, защитная стена была возведена в мгновение ока.

— Хватит вопросов. Скажите прямо, что вам нужно?

— Дело не в том, что мне нужно, Ричард, а в том, что нужно тебе.

Машина поднималась в гору достаточно медленно, и я мог выпрыгнуть, не рискуя сломать себе шею. Не торопись, подумал я, пока что он не обозвал тебя безбожным антихристом и, кажется, не вооружен. Кроме того, во мне еще сохранилось тепло первого впечатления. Парень нес чушь, но был симпатичным.

— Если ты ангел-учитель, то должен знать ответы на все вопросы, — сказал я.

Он взглянул на меня удивленно и улыбнулся.

— Конечно, знаю! Собственно, ради этого я здесь. Как ты догадался?

— У меня есть вопросы, я спрашиваю, ты отвечаешь, идет? — Если Шепард — персонаж из моих книг, то сейчас это выяснится.

— Идет, — ответил он.

— В детстве у меня были две любимые игрушки, как их звали?

— Твой верблюд был Кемми, зебру звали Зибби.

— Мое первое изобретение. Что это было?

Хитрый вопрос.

— Это реактивный двигатель длиной восемь дюймов, — ответил он. — Диаметр четыре дюйма, шов спаян оловом, все смонтировано на конце штанги длиной пять футов. Ты знаешь, что олово не выдержит температуры и двигатель взорвется через одну-две минуты, но прежде чем это произойдет, ты увидишь, что идея работает. Спирт в качестве топлива. Двигатель взрывается. Пламя по всему двору...

Он говорил, продолжая вести машину, и описывал мои ракеты, мой дом, друзей и семью, мою собаку; он сообщал такие подробности давно минувших событий моей жизни, которых я бы сам никогда не вспомнил без его рассказов.

Конечно, персонажи моих книг совершенно реальны, но некоторые из них представляют собой что-то вроде тахионов*... Они существуют в своем пространстве, такие же яркие проявления жизни, как мы в своем. Из книг они могут проникать в мой мир и изменять его.

Шепард был либо одним из этих существ, либо величайшим в мире психологом.

—...олеандровые джунгли прямо за углом дома. Из дымохода на распорке свисает конструкция, которую ты собрал из листа меди и сварочного прутка. Искривленные эллипсы — ты называешь это *Радаром*. В гараже стоят корзины с древесным углем и картины — домашние работы твоей мамы, она ходит на художественные курсы. Дровяная пристройка, через которую ты незаметно проникаешь в дом...

— Вопрос.

Он сразу перестал рассказывать. Мы ехали молча. Вечнозеленые деревья защищали дорогу от полуденного солнца. Старая

* Гипотетические частицы, движущиеся быстрее, чем свет в пустоте. — *Прим. перев.*

машина на малой скорости с трудом преодолевала крутой подъем.

— Ты не говоришь *было*, ты говоришь *есть*, — сказал я. — Это время моего детства. Оно для тебя все еще существует. Тот, кого ты называешь мной и кому, как ты считаешь, что-то нужно, — это Дикки, то есть я в моем далеком прошлом?

Он кивнул.

— Конечно. Это время никуда не ушло, оно не дальше, чем противоположная сторона улицы.

— Еще вопрос.

— Спрашивай что хочешь.

— Сколько будет сто тридцать один в кубе?

— Я ангел, а не компьютер, — рассмеялся он.

— И все-таки, попробуй угадать.

— Пять тысяч двадцать семь?

Он ошибся больше чем на миллион. Этот парень не всеведущ, по крайней мере, математика не его конек. Чего он еще не знает?

— Есть ли на небесах гравитация?

Он в удивлении повернулся ко мне:

— Давно ли тебя интересует этот вопрос?

— Около года. Я был... смотри, камень.

Слишком поздно. С божественной беззаботностью он наскочил на камень.

— Еще вопросы?

Я не стал возвращаться к вопросу о гравитации. Гораздо больше, чем гравитация на небесах, меня сейчас интересовало, кто этот странный человек.

— Зачем... почему ты такой, какой ты есть?

— Есть такая поговорка: «Избыток чувств — недостаток мыслей».

В том, как он произнес эти слова, я почувствовал горький вкус истины.

Я уже понял, что он не причинит мне вреда; я понял, что он подобрал меня этим утром не для того, чтобы подвезти на вершину горы; я знал, что математика не его стихия. Меня переполняли новые вопросы обо всем на свете.

— Ты так говоришь потому, — спросил я, — что это имеет какое-то отношение к делу, ради которого ты здесь?

— Конечно.

Не потому ли он понравился мне с первого взгляда, что я уже где-то видел его улыбку?

Два

Ангелы-учителя водят машины весьма посредственно. На одном из поворотов на Тигровой горе дорога наклонена к обрыву, и водители для безопасности всегда прижимаются здесь к внутреннему краю. Еще и сегодня можно увидеть на камнях обочины отчаянный тормозной след и полоски сожженной резины от колес Шепарда.

— Извини, — сказал он, — я давно не водил машину.

— А, ну это уже немного легче.

Мои ступни свело, я мертвой хваткой держался за истрепанный подлокотник сиденья.

Тяжело или легко — это мало заботило моего водителя. Его интересовало другое.

— Ты уже мало что помнишь из своего детства, не так ли?

— Когда ты говоришь, я вспоминаю. А так — нет.

— Ты славный мальчишка. Когда ты хочешь чему-нибудь научиться, ты берешься за это очень серьезно. Помнишь, как ты учился писать?

Я вспомнил уроки Джона Гартнера по художественной литературе в средней школе. Учится ли вообще кто-нибудь писать, или мы только прикасаемся к кому-то, кто дает нам возможность почувствовать силу исчезнувшего слова?

— Нет, — сказал он, — я имею в виду то время, когда ты только учился писать на бумаге. Твоя мама сидит за кухонным столом и пишет буквы, а ты сидишь рядом с ней, с карандашом и бумагой, и выводишь *O, L, E*, петли, крючки и кружочки, страницу за страницей.

Я вспомнил. Красный карандаш. И *R* и *S* на листке бумаги. Я чувствовал себя таким большим — это я сотворил эти аккуратные знаки, стройными рядами слева направо выстроившиеся на бумаге. Мама похвалила мою работу, и это вдохновило меня на дальнейшие подвиги. Сегодня у меня самый скверный почерк в мире.

— Итак, ты достаточно хорошо знаешь Дикки, не так ли? — спросил я.

— Гораздо лучше, чем тебя, — кивнул он.

— Потому что он нуждается в помощи, а я нет?

— Потому что он просит помощи, а ты нет.

Форд совершил последний поворот, и мы въехали на вершину горы. Деревья расступились, открывая бескрайний горизонт на севере и на западе. Шепард остановил машину в ста футах от площадки, с которой стартовали парапланеристы; я открыл дверцу.

— Я рад, что вы пришли от него, — сказал я. — Передадите ему привет?

Он не ответил. Я вышел из машины, забрал сумку с парапланом и закинул ее на плечо. Как и прежде, ветра почти не было. Я подумал, что если мне опять не удастся взлететь, то это будет мой последний прыжок сегодня, я соберу вещи и пойду домой.

Я наклонился и помахал водителю рукой через окно машины.

— Рад был познакомиться, мистер Шепард. Спасибо, что подвезли.

Он кивнул, и я повернулся, чтобы идти.

— Подожди минутку, — сказал он.

Я обернулся.

— Ты не мог бы надписать книгу для Дикки?

— Почему бы и нет?

Мне в голову не пришло, что это невозможно. Что прыжки через барьер времени могут совершать только надежда и интуиция и что он непреодолим для бумаги и чернил.

Я поставил рюкзак с парапланом на землю, открыл дверцу и опять влез в машину.

Шепард развернул книгу, которая лежала между нами на переднем сиденье.

— Ты когда-то дал обещание, — сказал он. — Ты, вероятно, уже не помнишь.

— Вы правы, я не помню.

В детстве у меня была масса фантазий: мечты и желания, детские представления о правильном устройстве мира. Я уже вряд ли сейчас смог бы разобраться, что в моих воспоминаниях было мечтами, а что действительными фактами.

— Это было очень давно, мистер Шепард. Дикки так далеко от меня, это совсем другой человек, я уже забыл, каким он был.

— Но ты ему не чужой. Он надеется, что ты никогда не забудешь его, что ты сделаешь что-то, чтобы научить его, как правильно жить. Он отчаянно ищет то, что ты уже знаешь.

— Найдет, — сказал я.

— Но только тогда, когда достигнет твоих лет. Ты обещал провести один эксперимент: посмотреть, кем он станет, если ему не нужно будет тратить пятьдесят лет на пробы и ошибки.

— Я обещал это себе?

Шепард кивнул.

— В 1944 году, когда я сказал тебе, что время не является для меня такой непреодолимой стеной, как для тебя. Ты обещал, что когда тебе будет пятьдесят, ты напишешь книгу, опишешь в ней все, чему научила тебя жизнь, и передашь назад во времени мальчику, которым был ты. К чему стремиться, как быть счастливым, как уберечь свою жизнь, — все то, что ты хотел знать, когда был им.

— В самом деле?

Указатели ветра ожили в тепловом потоке, дотянувшемся до вершины горы.

Какая милая идея.

Шепард откашлялся.

— Это было пятьдесят лет тому назад, Ричард.

Он заерзал на сиденье.

— Он ждет ответа, тот мальчик, которым ты был. Ты обещал.

— Я не помню никаких обещаний.

Ангел посмотрел на меня так, словно я продал свою душу дьяволу. Я подумал, что мои слова прозвучали несколько грубо; но ни мальчик, ни ангел не знают, как это тяжело — писать.

— Скажи ему, что я забыл свое обещание, но пусть он не волнуется, все будет в порядке.

Шепард вздохнул.

— Эх, Ричард, — сказал он, — неужели обещание ребенку ничего не значит для тебя?

— Нет — если выполнение этого обещания разорвет его сердце! Ему совсем не нужно знать, что впереди будут бури, из которых он один выберется живым, один из всей семьи! Ему совсем не нужно знать о разводе и предательстве, о банкротстве, о том, что еще тридцать пять лет он будет искать и не сможет найти женщину своего сердца. Шепард, *один* год — это уже вечность для девятилетнего мальчика. Ты прав, это обещание ничего не значит!

— Я предполагал что-то подобное, — сказал он и грустно улыбнулся. — Я знаю, как это трудно, написать книгу. Я знал, что ты не станешь писать ее, поэтому я написал ее за тебя.

Три

— Все, что тебе осталось сделать, это подписать книгу, — сказал ангел, протягивая мне ее. — Пусть останется нашим маленьким секретом, что у тебя не было времени написать ее самому. Дикки никогда об этом не узнает. Что бы там ни было, он считает тебя Богом.

— Не нужно врать мальчишке. Скажи ему прямо: он не представляет себе, о чем просит. Передай ему, что когда он достигнет моего возраста, то поймет, что книги не пишутся по прихоти или по старым обещаниям. Книги рождаются после многих лет мучительных размышлений над идеями, которые никогда не увидят свет, если ты не изложишь их на бумаге, но даже и в этом случае книга — крайнее средство, это выкуп, который ты платишь за право возвратить свою прожитую жизнь из небытия. Какое счастье, когда книга закончена и все, что я хотел сказать, в ней записано, спасибо Создателю за это, и я заслужил теперь право спокойно провести свое свободное время здесь, на горе, с моим парапланом!

— Я скажу ему то, что должен сказать, — сказал ангел, не слишком смутившись. — К тому же я хорошо знаю, что написал бы ты. Поэтому просто подпиши книгу, не в том смысле, что ты ее написал, а просто заверь, что все в ней написано правильно и что ты это одобряешь. И я пойду.

— Он достал из кармана фломастер.

— Просто пару слов ободрения, что-нибудь вроде: *Береги честь смолоду!* — и подпись.

Я впервые взглянул на томик, который он мне протягивал. Зеленая обложка цвета свежей листвы, белый квадрат заголовка:

ОТВЕТЫ — некоторые наставления по поводу того, что следует делать и думать, чтобы прожить счастливую жизнь. Успех гарантирован Ричардом Бахом.

Мое сердце забилось. Спокойно, подумал я, существует очень много хороших книг с отвратительными названиями.

Я раскрыл книгу и взглянул на содержание.

Семья
Школа
Учеба
Работа
Деньги
Ответственность
Обязанности
Служба
Забота о ближних

Я просмотрел дальше две страницы убористого текста, просто названия глав. Если у Дикки и бывала бессонница, то теперь она ему не угрожает.

Я наугад раскрыл книгу. *Важной составной частью твоего рабочего окружения является благополучие служащих. Тщательно продуманный план перевода на пенсию так же эффективен, как и повышение зарплаты, а автоматическое регулирование стоимости жизни равноценно сбережениям в банке.*

Я содрогнулся. А как же насчет того, чтобы найти любимое занятие и сделать его своим бизнесом, подумал я.

Попробую еще. *Все, что ты делаешь, отражается на твоей семье. Прежде чем сделать что-то предосудительное, подумай: будет ли твоя семья счастлива, если тебя поймают на этом?*

О Боже. Третий раз должен быть удачным. *Бог все видит. Придет время, и он спросит: был ли ты достойным гражданином? Скажи Ему, что ты по крайней мере пытался.*

Я сглотнул комок, нервно перевернул несколько страниц. Мальчик хочет узнать, чему я научился за пятьдесят лет, — и он получит это? Откуда у ангела эти дьявольские идеи?

Ты создаешь свою собственную реальность, так позаботься, чтобы это была счастливая реальность. Посвяти себя другим, и они благословят тебя.

Я не знал, что книгу так трудно разорвать пополам, но когда я справился с этим, то швырнул одну половину Шепарду.

— «Ты создаешь свою собственную реальность? Они благословят тебя?» Я вот только не пойму, то ли ты настолько глуп, то ли меня считаешь придурком, который поверит всему этому бреду! В любом случае, нужно быть сумасшедшим, чтобы писать это в книге для невинного ребенка... для Дикки! Чтобы он это прочел! Реальность — это то, что он видит своими глазами! Какому дьяволу ты служишь?

Я замолчал, потому что почувствовал, что сейчас сорву голос и что мой кулак, из которого торчат вырванные из книги листы, витает уже под самым носом у ангела.

— Это не гранитный памятник, я могу изменить текст, если тебе что-то не нравится...

— Шепард, у мальчика была *мечта*! У него была великая идея: узнать, какой была бы его жизнь, если бы ему не пришлось потратить пятьдесят лет на отсеивание правды от лжи! А ты берешь его мечту и превращаешь ее в *благополучие служащих*? И ты еще собираешься сказать ему, что эта книга от *меня*?

— Ты дал обещание, — сказал он голосом праведника. — Я знал, что ты не позаботишься о том, чтобы выполнить его и написать книгу. Я попытался тебе помочь.

Меня несло по реке ненависти, на берегу знак: «Опасно. Впереди пороги!» Какие пороги? Можно ли впасть в большую ярость, чем я испытываю в эту минуту? И не задушить ли мне этого типа голыми руками?

Вдруг мой голос стал совершенно спокойным.

— Шепард, ты волен делать все, что тебе заблагорассудится. Но если ты дашь невинному ребенку эту массу безвкусной дряни, да еще подпишешь такой эрзац пятидесятилетней мудрости моим именем (в это мгновение мои глаза засверкали, как раскаленные добела острия двух кинжалов), я найду тебя даже в преисподней и скормлю тебе эту книгу страница за страницей.

Я думаю, мои слова не столько испугали его, сколько поразили своей искренней решимостью.

— Отлично, — сказал он, — я рад, что тебя это волнует.

Вот что значит быть ангелом! Во всем они способны видеть светлую сторону.

Четыре

Я поднял рюкзак и зашагал прочь, покачивая головой. Очередной урок для тебя. Только из-за того, что первый встречный оказался из другого пространства, не думай, что он в чем-то тебя мудрее или что он может сделать что-нибудь лучше, чем ты сам. Смертный или бессмертный, человек всегда останется только *результатом того, чему он научился*.

Я стал разворачивать крыло на верхней площадке, откуда стартовали парапланеристы. Я все еще ворчал что-то о безмозглых ангелах, сующих нос в мое прошлое. Когда я поднял глаза, фордик и его странный пассажир уже исчезли.

Я молился, чтобы Шепард действительно исчез, а не уехал вниз по дороге. Даже если он избрал езду, то я надеялся увидеть его на каком-нибудь дереве у дороги, когда буду подниматься обратно.

Затянул ремни, надел перчатки; пряжки и шлем надежно застегнуты. Другие парапланеристы давно улетели, трое уже приземлились. Еще три крыла держатся в воздухе, далеко внизу, порхая, как бабочки, на фоне зеленых деревьев, — они все еще охотятся за восходящими потоками воздуха.

Не дожидаясь, пока ветер поднимет крыло, я сразу пошел прямо к краю обрыва, посмотрел, как плавно растет огромная радуга надо мной, и шагнул в воздух.

Как бы понравилось Дикки лететь сейчас вместе со мной... Он увидел бы, что в жизни самое важное! Здесь находишь то, что действительно любишь, и узнаешь об этом все, что тебе нужно знать. И вверяешь свою жизнь собственным знаниям, и убегаешь от безопасности, бросаясь с горы в воздушную пропасть, полага-

2 – 4585

ясь на Закон Полета, на то, что невидимые глазу воздушные потоки подхватят тебя и понесут над землей...

В этот момент словно запятая попала в строку моих мыслей — крыло наполнилось свежим дуновением ветра. Я потянул за правую стропу управления и развернулся, чтобы удержаться в струе восходящего потока; и параплан вместе со мной стал медленно подниматься в небо.

За холмами на западе из-за линии горизонта стал появляться Сиэтл, сверкающий Изумрудный Город из сказочной страны Оз. Солнечные лучи сверкали на поверхности залива Пьюджета, а дальше возвышалась громада Олимпийских Гор, хранящих зимнюю стужу под снежными шапками. Здесь много было такого, что понравилось бы ему.

Примерно в десяти футах справа от меня появилась маленькая бабочка. Она решительно била маленькими крылышками и летела с той же скоростью, что и я. Я повернулся к ней, она круто увернулась, но затем вернулась ко мне, пролетела у самого шлема и исчезла где-то в южном направлении.

Это было бы интересно Дикки, его вообще интересовали все существа, рожденные для полета: что эта бабочка делала здесь, на высоте двух тысяч футов, и какие дела влекли ее к югу?

И вообще, подумал я, мальчик должен жить не в голове Шепарда, а где-то в глубинах моих собственных воспоминаний. Я так мало помнил о своем детстве, а Дикки хранит его все целиком. Мои нынешние поступки и представления уходят глубоко корнями в события его повседневной жизни. Если бы я нашел способ встретиться с ним, я бы смог и сам многому научиться, и ему рассказать о тех испытаниях и ошибках, которые ждут его впереди.

Восходящий поток ветра утих — и через несколько минут Сиэтл снова скрылся за холмами. Первый из приземлившихся парапланеристов уже стоял на стартовой площадке и наблюдал, как я скольжу вниз.

Зависнув между небом и землей, я расслабился и задумался — а что произойдет, если приоткрыть дверь между мной и тем мальчиком, которым я был? Как долго я даже не вспоминал о нем! Если бы не Шепард со своей дурацкой книгой, я бы, наверное, никогда не вспомнил о Дикки.

Я представил себе дверь, ведущую в глубину моего прошлого, я поднимаю тяжелый деревянный засов, дверь со скрипом открывается. Внутри темнота и холод — странно. Может быть, он спит.

— Дикки, — крикнул я в глубь моей памяти, — это я, Ричард. Уже прошло пятьдесят лет, пацан! Не хочешь ли поздороваться?

Он ждал меня в темноте, нацелив на меня огнемет. Десятая доля секунды — и все вспыхнуло огнем и алой яростью:

— ПОШЕЛ ВОН! УБИРАЙСЯ ПРОЧЬ, ПРОКЛЯТЫЙ БОГОМ ОТСТУПНИК, ТЫ, ПРЕДАВШИЙ МЕНЯ, ПРОДАЖНЫЙ, НИЧТОЖНЫЙ ОДНОФАМИЛЕЦ, НЕНАВИСТНАЯ МНЕ ВЫРОСШАЯ ИЗ МЕНЯ ЛИЧНОСТЬ, В КОТОРУЮ, НАДЕЮСЬ, Я НИКОГДА НЕ ПРЕВРАЩУСЬ! ПОШЕЛ ПРОЧЬ И НИКОГДА НЕ ВОЗВРАЩАЙСЯ СЮДА И *ОСТАВЬ МЕНЯ В ПОКОЕ!*

Я задохнулся, голову сжало шлемом, я захлопнул тяжелую дверь и очнулся в затянутых на мне ремнях, под парапланом, повисшим над деревьями Тигровой горы.

Фу-у-х! Неужели моя память запускает в меня ракеты? Я ожидал, что мальчишка бросится в мои объятия, из темноты к свету, переполненный вопросами, открытый для той мудрости, которую я собирался ему дать. Я открывал дверь для великолепной, невиданной еще дружбы, а он безо всякого предупреждения чуть не зажарил меня заживо!

Вот тебе и любящий мальчик внутри тебя. Хорошо еще, что на двери тяжелый засов. Никогда больше я не подойду к ней, тем более не притронусь к этой заложенной во мне бомбе на взводе.

К тому времени как я приземлился, все остальные парапланеристы уже выстроились к новому прыжку, не выбирая, будет ветер или нет. Будет так же. Я упаковал крыло, забросил его в багажник машины, завел мотор и поехал домой. Всю дорогу я, не переставая, думал о том, что произошло.

Лесли возилась вокруг сливового дерева в саду; увидев меня, она помахала мне секатором. Земля вокруг нее была усеяна срезанными ветками разной длины.

— Привет, дорогой. Как ты полетал? Ты получил удовольствие?

Моя жена — это любящая и прекрасная женщина, родная душа, единомышленник, которого я нашел, когда потерял уже всякую надежду найти. Если бы она только смогла разделить со мной тот мир, в который я попал, и стать его частью, только не такой далекой, таинственной и пугающей. *Получил ли ты удовольствие?* Как можно ответить на этот вопрос?

Пять

— *Огнемет?*

Другая на ее месте стала бы смеяться — мой-то вчера пришел домой и такую вот историю рассказал! Она свернулась калачиком на кушетке рядом со мной, укрыв ноги одеялом и грея озябшие руки чашкой горячего мятного чая. Если вы хотите продрогнуть до костей, то моя жена может вам посоветовать заняться весенней обрезкой деревьев в саду.

— Что может означать для тебя огнемет? — спросила она.

— Это значит, что я подавлен. Я хочу вычеркнуть кого-то из своей жизни. Не просто убить, а так, чтобы от него не осталось даже пепла.

— Если ты так поступаешь, когда подавлен, то чего от тебя можно ожидать, когда ты взбешен?

— Да, Лесли. Он не был подавлен, он был взбешен.

По мере того как я рассказывал, моя история теряла трагичность и превращалась в забавное происшествие, случившееся со мной. Шепард был просто свихнувшимся фанатиком, который вычитал что-то такое, что зациклило его на мне. Выдумав эту историю, он подсунул мне свою ужасную рукопись в надежде, что я ее опубликую.

Был ли он ангелом-учителем? Мы все ангелы-учителя друг для друга, мы все чему-то учимся, когда напрягаем свой мозг и вспоминаем что-то важное, давно забытое. Мне нужно было ему сразу и напрямик сказать, что сегодня я забыл свою ученическую шапочку и что я собираюсь подняться на эту гору пешком, так что спасибо и всего хорошего.

Моя жена не разделила моего веселья по поводу схватки с тем мальчиком. Она давно предполагала, что мальчик — живая часть моего существа, отвергнутая и беспризорная, нуждающаяся в том, чтобы ее нашли и любили. В Шепарде она увидела союзника.

— Подумай, существует ли какая-нибудь причина, по которой Дикки мог бы тебя ненавидеть?

— Там было темно и холодно, как в тюремной камере. Если он полагает, что это я заточил его туда, а сам ушел, оставив его в темноте беспомощного, то... — На некоторое время я сосредоточился на своих ощущениях. — Пожалуй, он мог быть немного расстроен этим.

— Расстроен? — она нахмурилась.

— Хорошо. Пожалуй, он бы охотно разрезал меня на мелкие кусочки и скормил крысам.

— Прав ли он? И не ты ли запер ту дверь?

Я вздохнул и положил голову ей на плечо.

— А мог ли я взять его с собой? Каждую неделю я встречаюсь с массой людей, в дополнение к тем, с которыми я встречался уже раньше. И завтра все будет так же. Должен ли я нынешний таскать его через всю эту толпу, заботиться о том, чтобы не смутить его чувства, ставить на голосование, чем мы займемся сейчас...

Я и сам чувствовал, что это звучит так, будто я оправдываюсь.

— Толпа здесь ни при чем, — сказала она. — Но если ты полностью откажешься от него, прогонишь даже воспоминания о своем детстве, останется ли у тебя твое прошлое?

— Я помню свое детство.

Я надулся. Я не сомневался, что она поймет и то, что я не досказал. Как нечасто я вспоминал редкие оазисы в безжизненной пустыне моего детства. Это должна была быть сказочная страна, но когда я оглядываюсь, она кажется пустой, как будто я проник в Настоящее по фальшивому паспорту.

— Расскажи мне сто своих воспоминаний, — попросила Лесли.

В ее прошлом были свои черные дыры, детские приюты в ее воспоминаниях представлялись статичными и безжизненными.

У нее не было никаких воспоминаний о том, откуда у маленькой девочки переломы, так хорошо заметные на рентгеновских снимках. Тем не менее ее повседневная жизнь полна воспоминаний о тех временах, когда она была девочкой, и эти старые знания помогают ей решать сегодняшние проблемы и выбирать завтрашние.

— Устроит два?

— Хорошо, два.

— Я забыл.

— Давай, давай, ты можешь вспомнить, если захочешь.

— Я наблюдаю облака. Лежу на спине на пустыре за нашим домом, вокруг зеленеет дикая пшеница. Я вглядываюсь в небо, как в немыслимо глубокое море, облака плывут по нему — это острова.

— Хорошо, — сказала она. — Наблюдение за облаками. Дальше?

Но ведь это важно, подумал я. Не пролистывай наблюдение за облаками, небо было моим прибежищем, моей любовью, оно стало моим будущим и остается моим будущим до сих пор. Не говори «дальше», небо для меня все!

— Водонапорная башня, — сказал я.

— Какая еще водонапорная башня?

— Когда я был маленький, мы жили в Аризоне. На ранчо, где стояла водонапорная башня.

— Что у тебя было связано с водонапорной башней? Почему ты вспомнил?

— Не помню. Наверное, потому, что вокруг не было ничего более примечательного, — предположил я.

— Хорошо. Еще воспоминания?

— Уже два.

Она все ждала, как будто надеялась, что я вспомню еще что-то третье после того, как рассказал два воспоминания вместо ста.

— Однажды я провел весь день на дереве, почти до самой темноты, — сказал я, и решил, что сделал для нее даже больше, чем обещал.

— Зачем ты влез на дерево?

— Я не знаю. Ты хотела воспоминаний, а не объяснений.

Опять молчание. Еще несколько образов я поймал в фокус дергающегося, скрипящего кинопроектора, каким мне представлялось мое детство, но и они были памятниками неизвестно чему: гонки на велосипедах с друзьями детства; маленькая скульптура смеющегося Будды. Если я расскажу ей об этом и она попросит объяснить, что это значит, я ничего не смогу сказать.

— Трое из моих бабушек и дедушек умерли еще до того, как я родился, а четвертый — вскоре после рождения. И мой брат тоже умер. Но ведь ты это знаешь.

Это только статистика, а не воспоминания, подумал я.

Смерть брата Лесли опустошила ее душу. Она никак не могла поверить, что смерть моего брата не произвела на меня такого же сокрушающего воздействия. Но это правда, я почти не заметил этого события.

— Вот, пожалуй, и все.

Я ожидал, что она снова скажет: как это так, *смерть брата* ты относишь к статистике и не называешь даже воспоминанием?

— Ты помнишь, как Дикки говорил, чтобы ты написал для него книгу?

Вопрос ее прозвучал так невинно, что я догадался: она что-то задумала. Во всем, что произошло сегодня, я не видел предвестников конца света. Самое ужасное из всего этого — мальчик с огнеметом — было не более чем плодом моей фантазии.

— Не говори глупости, — сказал я.

Как я мог это помнить?

— Вообрази, Ричи. Представь себе, что ты девятилетний мальчик. Твои бабушка и дедушка Шоу умерли, твои бабушка и дедушка Бахи умерли тоже, твой брат Бобби только что умер. Кто следующий? Неужели тебя не ужасало, что завтра можешь умереть и ты? Неужели тебя не волновало твое будущее? Что ты *чувствовал?*

Что она пытается мне сказать? Она знает, что меня это не волновало. Если возникает опасность, я пытаюсь от нее улизнуть. Если это не удается, я встречаю ее лицом к лицу. Ты либо планируешь, что делать завтра, либо борешься с тем, что есть сегодня; волноваться из-за чего-то — пустая трата времени.

Но ради нее я прикрыл глаза и представил, что я там, наблюдаю за девятилетним мальчиком и знаю, о чем он думает.

Я нашел его сразу, закоченевшего в своей кровати, глаза плотно закрыты, кулаки сжаты. Он был одинок. Он не волновался — он был в ужасе.

— Если Бобби со своим светлым умом не смог пройти рубеж одиннадцати лет, то у меня тем более нет шансов, — я рассказал Лесли о том, что увидел. — Я знаю, что это глупость, но я уверен, что умру, когда мне будет десять.

Что за странное чувство, оказаться опять в моей старой комнате! Двухэтажная кровать возле окна, верхняя койка все еще здесь после смерти Бобби; белая сосновая парта, ее крышка попорчена быстротвердеющим суперцементом Тестора и лезвиями «Экс-Акто»; бумажные модели летящих комет подвешены на нитках к потолку; крашеные деревянные модели «Стромбекер» расставлены на полках между книгами — на каждую были затрачены часы работы, и вот сейчас все они сразу всплыли в памяти: коричневая «Ju-87 штука»*, желтая «Пайпер Каб», «Локхид Р-38» (часть его стабилизатора отломилась при попытке запуска с верхней койки)... Я совсем забыл, как много маленьких аэропланов было у меня в детстве. Грубые, из литого метала «Р-40» и «FW-190» стояли прямо на парте, рядом с лампой «гусиная шея».

— Загляни в эту комнату, — сказал я. — Как это мне удалось вспомнить все так четко? Все эти годы передо мной как будто стоял туман!

Стенной шкаф с двумя дверцами. Я знаю, там внутри набор для игры «Монополия», планшетка для спиритических сеансов, Кемми и Зибби, а также зимние одеяла. Осторожно, сплетенный из лоскутков коврик покрывает пол из твердого дерева, на нем можно поскользнуться, как на льду.

— Ты не хочешь поговорить с ним? — спорила Лесли.

* «Штука» (сокр. от нем. «Sturzkampflugzeug») — пикирующий бомбардировщик.

— Нет. Я только посмотрю.

Почему я боюсь заговорить с ним?

Он носил джинсы и темно-красную фланелевую рубашку в черную клетку с длинными рукавами.

Какое юное лицо! Веснушки на носу и на скулах; волосы светлее, чем у меня, кожа смуглее — он постоянно на солнце. Лицо шире и круглее, слезы катятся из-под плотно зажмуренных век. Славный мальчик, напуганный до смерти.

Ну, давай, Дикки, подумал я. Все у тебя будет хорошо.

Вдруг его глаза распахнулись, он увидел, что я смотрю на него, и открыл рот — закричать.

Я машинально ринулся назад, в свое время, и мальчик исчез для меня, должно быть, в то самое мгновение, когда и я исчез для него.

— Привет! — сказал я с опозданием.

Шесть

— Привет кому? — спросила Лесли.

— Так глупо, — сказал я. — Он меня видел.

— Что он сказал?

— Ничего. Мы оба сильно испугались. Как странно.

— Что ты чувствуешь, как он?

— Да с парнем, в общем, все нормально. Он только не уверен в завтрашнем дне, и это выбило его из колеи.

— И как ему там, ты чувствуешь?

— Все у него будет нормально. Он будет хорошо учиться в школе, впереди его ждет великолепное время, когда он узнает так много интересного: аэропланы, астрономия, ракеты; он научится ходить под парусами, нырять...

Она дотронулась до моей руки:

— Ты чувствуешь, каково ему?

— Да у меня сердце разрывается! Я молю Бога, я так хочу вывести его оттуда и прижать к себе, и сказать ему: не плачь, ты в безопасности, ты не умрешь!

Дорогая Лесли, мой любимый и чуткий друг. Она не сказала ни слова. Она дала мне возможность в тишине услышать то, что я сказал, услышать еще и еще раз.

Мне потребовались дикие усилия, чтобы восстановить равновесие. Я никогда не был склонен к сентиментальности, я рассматривал свои чувства как частную собственность и держал их под жестким контролем. Да, сохранять этот контроль очень непросто, но, казалось, всегда возможно. В конце концов, все это происходит в *моей* голове.

— Ты — хранитель его будущего, — произнесла она в тишине.

— Его наиболее вероятного будущего, — сказал я. — У него есть и другие варианты.

— Только ты знаешь то, что ему нужно знать. И если даже ему суждено в жизни взлететь выше, чем тебе, — все равно, только ты сможешь объяснить ему, как этого добиться.

В это мгновение я действительно любил мальчишку. Когда я был с ним, мое детство уже не заволакивало туманом, я его видел кристально ясно и с мельчайшими подробностями.

— Я — хранитель его будущего, он — хранитель моего прошлого.

В эту минуту у меня возникло удивительное чувство: мы необходимы друг другу, Дикки и Ричард, только вместе мы можем образовать единое целое. Нужно ли мне было брести по жизни одному, как отступнику, чтобы, наконец, повстречать мальчика, страстно желающего превратить меня в пепел, — и теперь доказывать ему, неизвестно как, что я люблю его? Легче доползти до Орегона по битому стеклу.

А могло ли быть иначе? Мой старенький кинопроектор опять стал высвечивать на экране сознания черно-белые кадры того времени, из которого я только что вернулся, — сплошные блеклые знаки вопросов; Дикки идет вдоль расписанных стен длинного освещенного солнцем коридора, все детали четко вырисовываются, ничего не пропущено.

Он все еще дрожит перед надвигающейся на него тьмой, и что проку в том, что я точно знаю: эта тьма — лишь тень будущих событий, которые пронесутся, собьют его с ног, поднимут и сурово обучат тем знаниям, о которых он сейчас молит меня.

Мне хотелось сказать ему: не давай спуску своим страхам, вызови их на открытый бой, пусть покажутся, и, если покажутся, — раздави их. Если ты не сделаешь этого, то твои страхи будут плодить новые страхи, они разрастутся плесенью вокруг тебя и заглушат дорогу, по которой ты хочешь идти. Твой страх перед новым поворотом в жизни — это всего лишь пустота, одетая так, чтобы показаться вратами ада.

Мне легко говорить: я уже прошел сквозь все это. А каково ему?

Если я чего-то боюсь сейчас, подумал я, то что бы мне больше всего хотелось услышать от себя, мудрого, будущего?

Когда придет время сражаться, Ричард, я буду с тобой, и оружие, которое тебе необходимо, будет в твоих руках.

Могу ли я сказать ему это сейчас, и есть ли хоть малейшая надежда, что он меня поймет?

Вряд ли. Ведь именно я тот человек, с которым он хочет сразиться.

Семь

— Лесли, почему бы мне просто не забыть сейчас всю эту ерунду? У меня масса гораздо более интересных дел в жизни, чем заводить игры со своим собственным воображением.

— Конечно, ты прав, — сказала она с преувеличенной торжественностью. — Как насчет риса на обед?

— Нет, правда. Что я выиграю от того, что закрою глаза и представлю себя другом маленького человека, который владеет моим детством? Ради чего я должен заботиться о давно минувших событиях?

— Это совсем не давно минувшие события, они присутствуют в настоящем, — сказала она. — Ты знаешь, кто ты есть, а он знает почему. Если вы подружитесь, вам будет что сказать друг другу. Но никто не говорит, что ты кому-то что-то должен. Я вот тебя люблю таким, какой ты есть.

Я с благодарностью обнял ее.

— Спасибо тебе, дорогая.

— Не приставай ко мне, — сказала она. — Меня не волнует, что ты бесхарактерный трус, который боится признать в себе хотя бы намек на сочувствие, заботу или другие человеческие эмоции; что ты даже не понимаешь, что когда-то был ребенком. Ты можешь считать себя пришельцем из иного мира. Ты хорошо готовишь, и этого достаточно, чтобы быть мужем.

Боже, подумал я. Она полагает, что для Меня будет Хорошо вернуться назад и открыть ящик Пандоры — комнатушку Дикки. Любая другая женщина на ее месте сказала бы, что ей и даром не нужен муж, который без конца пропадает в темных дебрях своей памяти, пытаясь подружиться с воображаемым мальчишкой.

Дети могут представить себе дружбу с воображаемым взрослым, думал я, но могут ли взрослые представить себе дружбу с воображаемым ребенком? В моих книгах живут воображаемые Чайка Джонатан и Дональд Шимода, и Пай — трое из четырех моих ближайших друзей и учителей живут без физических тел. Ради каких перемен в моей жизни потребовался еще и Дикки?

Я потерял контроль над собой из-за этого чокнутого Шепарда и его дурацких фантазий. Если я еще когда-нибудь увижу его «форд», то первым делом запишу номера и узнаю, какие еще дела тянутся за этим парнем. Как удалось этому маньяку превратить мою размеренную жизнь в сумасшедший дом?

— Рис — это хорошо, — сказал я наконец.

Я оставил на кушетке Лесли с остывшей чашкой чая, поставил на плиту китайский котелок, зажег огонь, налил в котелок немного оливкового масла, достал сельдерей, лук, перец, имбирь из холодильника, все это мелко нарезал и перемешал.

Чего я, собственно, так боюсь? В конце концов, кто хозяин в моем сознании? Я вот представлю себе сейчас маленького мальчика, и на этот раз он будет добрее ко мне... Он принесет мне свои извинения за огнемет, заполнит анкету о моем детстве и пойдет своей особой воображаемой дорогой, считая себя умнее и счастливее, и никому не станет хуже от нашей встречи.

В котелок полетели кубики нарезанной зелени, зашипел вчерашний рис; еще немножко соевого соуса, стручок фасоли, еще один.

Мне так нравится устанавливать новые спортивные рекорды — пройти милю за десять минут вместо 10:35, продержаться в воздухе на параплане два с половиной часа вместо двух с четвертью; если я стараюсь развить свою физическую оболочку, то почему мне не поработать над расширением эмоциональной?

Я поставил тарелки на стол, белые с голубым; на них изображены цветы, точно как те живые, которые собирает и приносит в дом Лесли.

Я не обязан это делать, размышлял я, и никто не принуждает меня. Но если мне самому любопытно узнать, что же я оставил в своем детстве и как оно — если бы его удалось отыскать — изменило бы мою теперешнюю жизнь, разве это преступление? Неужели Полиция Мачо постучит в мою дверь и арестует меня за то, что я этим заинтересовался? Кто посмеет сказать мне, что я не имею права прогуляться по своему прошлому просто ради развлечения?

— Время обедать, Вуки, — позвал я.

За едой мы говорили о детях, обсудили все подробности. Я рассказал ей, как я горжусь тем, что мои дети сами принимают решения, и как я рад, что мне нет необходимости снова стать ребенком и оказаться перед лицом тех лет — самых трудных, самых жестоких, самых беспомощных и загубленных лет, которых почти никому не удается избежать.

— Ты прав, — сказала Лесли, когда я подал клубнику на десерт. — Позор, что каждому ребенку приходится одолевать эти трудные годы в одиночку.

Восемь

Я никогда не страдал бессонницей. Поцеловав жену на сон грядущий, я поправлял подушку, и, едва прикоснувшись к ней головой, уже спал.

Только не сегодня. Уже два часа как Лесли заснула, а я все еще гляжу в потолок и в тринадцатый раз прокручиваю события этого дня.

Когда я в последний раз смотрел на часы, было час ночи. Еще шесть часов до рассвета. Придет день, и я пойду повожусь немного с ремонтом Дэйзи — нашей *Сессны Скаймастер**.

Хотя бы дождь пошел с утра, мечтал я во мраке. Мне нужно летать при разнообразной погоде, чтобы не заржавели мои профессиональные навыки. К Бейвью — ориентирование по сигналу автоматического маяка, затем развернуться на Порт-Анджелес, посадка вслепую...

Обязательно нужно заснуть.

Ты боишься, что Дикки сожжет дверь и зажарит тебя в собственной постели?

Глупо! Чего я боюсь? Когда Лесли сердита на меня, разве я выскакиваю вон из комнаты? Ну, иногда бывает, но не так уж часто. Так почему же я так шарахаюсь от этой деревянной камеры? Я захлопнул ту дверь, не нужно было этого делать, я сожалею об этом, я не соображал, что делаю. Это вышло неумышленно, и теперь я должен по крайней мере открыть дверь и выпустить моего воображаемого мальчишку.

Через полчаса, уже в полудреме, я снова увидел эту дверь, такую же холодную и темную, как и прежде.

---

* Cessna-337 «Super Skymaster».

Ну-ка, подумал я, не давай спуску своим страхам, вызови их на открытый бой, пусть покажутся, и если покажутся — раздави их. Каждый поворот, которого ты боишься, — это всего лишь пустота, одетая так, что кажется адом.

Я откинул засов, но оставил дверь закрытой.

— Дикки, это я, Ричард. Я не понимал, что я делаю. Я поступил глупо. Мне ужасно стыдно за то, что я сделал.

Я слышал его движения внутри камеры.

— Хорошо, — наконец произнес он. — Сейчас ты войдешь внутрь и дашь мне возможность закрыть тебя здесь на пятьдесят лет. После чего я возвращусь и сообщу тебе, как мне стыдно. Посмотрим, что ты скажешь тогда. Ну как, справедливо?

Я открыл дверь.

— Это справедливо, — сказал я. — Я прошу прощения. Я поступил глупо, закрыв тебя здесь. Моя жизнь от этого стала беднее. Теперь твой черед. Закрой меня здесь.

Отворяя дверь, я прежде всего увидел голубое сияние воспламенителя в ствольной насадке нацеленного на меня огнемета. Нет уж, я не побегу, что бы ни случилось, подумал я. Он имеет полное право убить меня здесь, если захочет.

Он, не двигаясь, сидел на скамье напротив двери.

— Ты закрыл меня здесь и *оставил меня одного!* Тебя не волновало, плачу я здесь или молю о помощи; с глаз долой — из сердца вон. РИЧАРД, Я МОГ БЫ ТЕБЕ ПОМОЧЬ! Я мог бы тебе помочь, но я тебе не был нужен, ты не любил меня, тебе вообще до меня НЕ БЫЛО ДЕЛА!

— Я вернулся, чтобы извиниться перед тобой, — сказал я. — Я величайший и тупейший идиот, какой только есть в мире.

— Ты думаешь, раз я живу только в твоем сознании, то меня можно не замечать, я не страдаю, я не нуждаюсь в том, чтобы ты защищал и учил, и любил меня. НЕТ, Я НУЖДАЮСЬ В ЭТОМ! Ты думаешь что я не существую, что я не живой, что меня не ранит то, что ты делаешь со мной, — НО Я ЕСТЬ!

— Я не очень-то силен в заботе о других, Дикки. Когда я запер тебя здесь, я запер вместе с тобой большую часть моих чувств и жил вдали отсюда, в мире, где управляет главным образом интеллект. До вчерашнего дня я даже не подозревал, что ты здесь, и не заглядывал сюда. — Мои глаза стали привыкать к темноте. — Ты внушаешь мне такой же страх, как и я тебе. Ты имеешь полное право уничтожить меня на месте. Но прежде чем ты сделаешь это, я хочу, чтобы ты знал: я видел тебя, когда ты лежал на кровати, сразу после смерти Бобби. Я хотел сказать тебе, что все будет хорошо. Я хотел сказать тебе, что люблю тебя.

Его глаза засверкали, черные, чернее, чем тьма камеры.

— Так вот как ты любишь меня? Запереть меня здесь? Удалить меня из своей жизни? Я прожил здесь твои труднейшие годы, я ИМЕЮ ПРАВО знать то, что ты знаешь, но Я НЕ ЗНАЮ ЭТОГО! ТЫ ЗАПЕР МЕНЯ! ТЫ ЗАПЕР МЕНЯ В КАМЕРЕ, ГДЕ ДАЖЕ ОКНА НЕТ! ЗНАКОМЫ ЛИ ТЕБЕ ЭТИ ОЩУЩЕНИЯ?

— Нет.

— Это все равно что бриллиант в сейфе! Это все равно что бабочка на цепи! Ты чувствуешь безжизненность! Ты чувствовал когда-нибудь *без-жизненность?* Тебе знаком холод? Ты знаешь, что такое тьма? Знаешь ли ты кого-нибудь, кто должен любить тебя больше всех на свете, а его даже не интересует, жив ты еще или мертв?

— Мне знакомо одиночество, — сказал я.

— Одиночество, подонок! Пусть кто-нибудь, кого ты любишь, — пусть это буду я — схватит тебя и засунет против твоей воли в эту деревянную клетку, и повесит большой замок на дверь и оставит тебя здесь без еды, без воды и без слова привета на пятьдесят лет! Попробуй это, а потом приходи со своими извинениями! Я ненавижу тебя! Если здесь есть что-нибудь, что я мог бы дать тебе, что-нибудь, что тебе от меня нужно, без чего ты жить не можешь, дай мне морить тебя без этого до тех пор, пока ты не свалишься, и тогда приноси мне свои извинения! Я НЕНАВИЖУ ТВОИ ИЗВИНЕНИЯ!

Единственным оружием в моем распоряжении был разум.

— Сейчас, Дикки, это первая из миллионов минут, которые мы можем провести вместе, если, конечно, есть хоть что-нибудь, ради чего ты хотел бы быть со мной вместе. Я не знаю, сколько минут у нас есть, у меня и у тебя. Ты можешь уничтожить меня, ты можешь закрыть меня здесь и уйти на весь остаток нашей жизни, и если это хоть как-то уравновесит мою жестокость к тебе, сделай это. Но я так много мог бы рассказать тебе о том, как устроен мир. Хочешь прямо сейчас узнать все то, чему ты научишься за пятьдесят лет? Ну так вот, я стою перед тобой. Половина века потрачена мною главным образом на пробы и ошибки, но время от времени я натыкался и на истину. Закрой меня здесь, если хочешь, или используй меня, чтобы осуществить свою старую мечту. Сделай свой выбор.

— Я ненавижу тебя, — сказал он.

— У тебя есть полное право ненавидеть меня. Есть ли хоть что-нибудь, что бы я мог сделать для тебя? Есть ли что-нибудь, о чем ты мечтаешь, а я мог бы показать тебе это? Если я делал это, если я прожил это, если я знаю это, — оно твое.

Он устремил на меня безнадежный взгляд, затем отвел в сторону огнемет, и его темные глаза наполнились слезами.

— Ох, Ричард, — сказал он. — Как это, летать?

Девять

Утром Лесли выслушала мою историю, и, когда я закончил, она села на кровать и, тихая, как мысль, уставилась в окно; под окном в саду росли ее цветы.

— У тебя очень многое осталось позади, Ричи. Неужели ты никогда не оглядывался назад?

— Я думаю, почти никто из нас этого не делает. Я как-то не склонен был считать свое детство сокровищем и хранить его. Задача состояла в том, чтобы поскорее покончить с ним. Научиться за это время чему сможешь, а затем пригнуться, затаить дыхание и покатиться с этого холма бессилия и зависимости, — а набрав нужную скорость, врубить сцепление и ехать дальше уже своим собственным ходом.

— Тебе было девять, когда умер твой брат?

— Около того, — сказал я. — А какое это имеет отношение к нашему разговору?

— Дикки тоже девять, — сказала она.

Я кивнул.

— Это было тяжело?

— Совсем нет. Смерть Бобби не произвела на меня особого впечатления. Тебе это кажется странным? Я чувствую, что должен врать тебе, чтобы не показаться жестоким. Но так и было, Вуки. Он попал в больницу, там умер, а все остальные продолжали жить как и раньше, занятые своим делом. Никто не плакал, я это видел. А о чем плакать, если ничего нельзя сделать.

— Многих бы это опустошило.

— Почему? Разве мы печалимся, когда кто-нибудь уходит из нашего поля зрения? Они все живы, так же как и мы, но мы должны расстраиваться, потому что не можем видеть их? Не вижу в этом особого смысла. Если все мы — бессмертные существа...

— Считал ли ты себя бессмертным существом в девять лет? Думал ли ты, что Бобби просто вышел из поля зрения, когда он умер?

— Я не помню. Но какая-то глубинная интуиция подсказывает мне, что его смерть не произвела на меня впечатления.

— Я так не думаю. Я думаю, у тебя было много совсем других интуиций, когда твой брат попал в больницу и больше не вернулся.

— Возможно, — сказал я. — Мои записи утеряны.

Она подняла на меня огромные голубые глаза.

— Ты *вел записи*? Когда твой брат...

— Просто шутка, милая. Никаких записей я не вел. Я толком не помню, умер ли он вообще.

Она не улыбнулась.

— Дикки помнит, я могу поспорить.

— Я не уверен, что хочу это знать. Сейчас я бы рад просто заключить с ним мир и заниматься своими делами.

— Хочешь запереть его снова?

Лежа на спине, я изучал структуру древесного волокна в обшивке потолка над головой; от узла полоски тянулись к краям планок, словно паучьи лапы. Нет, я не хочу никого запирать.

— Что он имел в виду, Лесли, когда сказал: «Я мог бы помочь тебе»?

— Это когда ты летаешь, — сказала она. — Скажем, в один прекрасный день тебе хочется полетать просто ради удовольствия — разве ты идешь в аэропорт и покупаешь там билет на самое заднее место самого большого, самого тяжелого, самого стального, самого транспортного и реактивного монстра, какого только удастся найти?

Я совершенно не мог понять, к чему она клонит.

— Нет, конечно. Я поднимаюсь на гору с парапланом или выкатываю мою Дэйзи из ее ангара и выбираю в небе то направление, куда бы мне хотелось полететь, я сливаюсь с крыльями, а потом и со всем небом в одно целое, пока не почувствую себя лучом солнца. Ты это хотела узнать?

— Вспомни, как ты действуешь, когда тебя осаждают проблемы, от которых невозможно убежать?

— А как тут действовать? Сбрасываю обороты, отпускаю газ, крепко зажмуриваю глаза и на малой скорости — четыре мили в час — наезжаю на все эти проблемы.

— Тебе не кажется, что, когда Дикки говорил «Я мог бы помочь тебе», он имел в виду, что если бы ты сумел стать его другом, то мог бы держать глаза открытыми?

Десять

Когда я усаживался в кабину Дэйзи, Дикки не выходил у меня из головы, и я чувствовал себя так, будто снова превратился в мальчишку. Мальчик, которым я был когда-то, сейчас больше походил на спасенного из ловушки дикого енота, чем на внезапно обретенного друга; и, в то время как он — моими глазами — впервые рассматривал самолет, я тоже увидел свою машину — его глазами, и его восклицания звенели у меня в голове.

— Ух ты! Сколько кнопок и переключателей! Что это такое?

— Это указатель высоты, — сказал я. — Видишь изображение маленького самолета здесь? Это мы, а это линия горизонта, поэтому когда мы летим в облаках, то мы знаем, что...

— А это что?

— Это рычаги управления шагом винта, по рычагу на каждый двигатель. Перед взлетом они устанавливаются в переднюю позицию, а затем, в полете...

— А *это* что?

— А это в грозовую погоду показывает, где сверкают молнии и куда не следует лететь.

— Дай мне покрутить штурвал!

Я улыбнулся этой просьбе. У меня было такое ощущение, будто я впервые в жизни трогаю штурвал самолета — тяжелый, но легкий в управлении. Вся моя работа, все удовольствие в этом штурвале.

— Что это за кнопки?

— Это кнопка включения микрофона. Это переключатель состояния готовности. Это управление тормозными щитками, кнопка отключения автопилота, а это контролеры карты перемещения...

— Заведи мотор!

Я включил обогащение горючей смеси.

— Можно я попробую?

Что чувствует сейчас этот парнишка внутри меня? Впервые в жизни сидит за штурвалом настоящего самолета и *уже знает, что и как нужно делать*? Черт побери!

Включить главный аккумулятор, включить топливный насос переднего двигателя.

— ЗАПУСТИТЬ ПЕРЕДНИЙ ДВИГАТЕЛЬ! — кричу я. Магнето включаю на СТАРТ, и... Господи, я слышу как ожил двигатель!

Нас оглушил рев разбуженного нами шторма.

Я с новой свежестью ощутил трепет и танец самолета в те секунды, когда заводишь двигатели, когда машина будто сама не может поверить в то, что она снова жива и сейчас взлетит.

— ЗАПУСТИТЬ ЗАДНИЙ ДВИГАТЕЛЬ! — Включаю магнето на СТАРТ.

Рев шторма УДВОИЛСЯ!

Он тычет пальцем в измерительные приборы, стрелки которых пришли в движение, а я поясняю назначение этих приборов.

— Тахометры! Давление масла! Подача топлива! Контроль расхода горючего!

Сколько лет я уже пролетал, как давно забыл упоение каждым моментом в этой кабине? Спокойное, глубокое наслаждение — это было; ох, какой же я взрослый.

— ...ветер один семь ноль градусов в один пять узлов, — прозвучал голос в наушниках, — полоса для взлета и посадки один шесть справа, сообщите в начале контакта, что вы располагаете информацией «Кило»*...

Я нажал на кнопку микрофона, и мальчишка просто обезумел: он разговаривал с *контрольно-диспетчерским пунктом*!

---

* Очередная информация о погоде в зоне аэродрома.

— Привет, Земля, я Скаймастер Один Четыре Четыре Четыре Альфа, из западных ангаров, располагаю «Кило»... — Живой дух говорил моим голосом, и говорил точно как настоящий пилот, и он был вне себя от восторга.

— Чистая работа! — сказал он, когда мы подрулили к месту взлета. Впервые он ощутил, что его тело — уже не тело девятилетнего мальчика. Он мог дотянуться ко всем переключателям и педалям управления без каких-либо подушечек, мог спокойно смотреть через лобовое стекло и обозревать всю взлетную полосу, как настоящий пилот!

Переключая тумблеры и двигая рычаги, он впервые в жизни прикасался к огромной энергии. Шторм превратился в торнадо, Дэйзи ринулась вперед, в страстном порыве к небу прижав нас к спинке сиденья.

Взлетная полоса с белым штрихом разметки посередине превратилась в сплошное мелькающее месиво под нами.

— Вверх! Вверх! Вверх!

Он потянул штурвал на себя, самолет задрал нос, и мы снежно-лимонной ракетой понеслись в небо.

— Убрать шасси! Поднять закрылки! — кричал он. — Давай, Дэйзи! Давай! Давай!

Для меня это был подъем со скоростью тысяча шестьсот футов в минуту, — это можно было видеть по указателю вертикальной скорости. Для него это было — как будто кто-то обрезал цепь, земля полетела вниз, и мы оказались в пустом пространстве. Наконец-то свободны!

Я развернулся в противоположную сторону от аэропорта, от всех воздушных путей, от всех наземных систем управления полетами, — а он сделал вираж в направлении кучевых облаков, теснившихся, словно воздушные острова, вокруг горных вершин. Это было лучше, чем мечты, в миллион раз лучше, чем валяться в лопухах и воображать себя вон на том облаке.

К тому моменту, когда мы достигли облаков, наша скорость составляла 220 миль в час; жуткий восторг сближения с плотной беломраморной массой не омрачался страхом, что смерть прервет это наслаждение.

— Ух! УХ! У-УХ!

Верховая скачка по облакам на такой скорости не может длиться слишком долго. Мы прошиваем насквозь снежно-белый светящийся шар, спирали тумана стекают с кромок наших крыльев.

— Святые Угодники!

Мы поворачиваем назад, взбираемся на снежную башню, взбираемся выше ее вершины, круто разворачиваемся и нацеливаемся в клубящийся горный пик, который никому в мире не посчастливилось и уже не посчастливится увидеть, входим в крутое пике — отчаянные лыжники на высоте семь тысяч футов посреди неба — и выныриваем с другой стороны.

— ДАВАЙ, ДЭЙЗИ!!!

Невероятно, думал я. Ведь он всего лишь маленький мальчик!

— Полетели в горы! — сказал он. — Туда, куда еще не ступала нога человека!

Я следил, чтобы с нами ничего не случилось, присматривал площадки для аварийной посадки на случай, если откажут оба мотора, поглядывал на уровень топлива, давление масла и температуру двигателей.

А он смотрел сквозь лобовое стекло и гнал Дэйзи вперед.

Под нами, чуть выше границы лесов, сверкали горные озера, заполненные блестящим расплавленным кобальтом из высотных снежных просторов. Нет дорог, нет пешеходных троп, нет деревьев. Острыми бритвами торчат одинокие остроконечные гранитные вершины, огромные каменные чаши и котлы переполнены снегом, ярко-небесного цвета речушки беззаботно бросаются со скал в пропасти.

— МЕДВЕДЬ! Ричард, СмотриСмотриСмотри — МЕДВЕДЬ!

Я знал, что медведям нечего делать на этих высотах в горах, но вдруг понял, что сознание взрослого человека, глядя на все сквозь призму рациональности, отказывается увидеть гризли прямо под носом, внизу.

Медведь стоял на задних лапах и, казалось, сопел в нашу сторону, пока мы делали вираж над ним.

— Дикки, ты совершенно прав! Это медведица!

— Она машет нам!

Мы качнули крыльями ей в ответ и уже в следующее мгновение пронеслись над горным перевалом и нырнули в долину — я и мальчик, которым я был и у которого до сих пор не было возможности летать.

Через час мы вернулись и подрулили к ангару. Дикки отделился от меня, и я снова увидел его в его собственном теле: ему не терпелось выскочить из кабины и посмотреть на Дэйзи со стороны. Он открыл дверь, выпрыгнул наружу и погладил руками обшивку самолета, как будто просто смотреть на него было недостаточно.

Я спокойно вышел из кабины и с минуту смотрел на него.

— Что ты рассматриваешь?

— Этот металл, — сказал он, — эта краска, все это было *в облаках*! Все это летало *над высочайшими горами*! Это было! Почувствуй это сам!

Казалось, что-то магическое еще остается на коже Дэйзи, и он не хотел упустить ни капли. Я тоже почувствовал это.

— Спасибо, Дэйзи, — сказал я по старому обычаю.

Дикки выбежал и встал перед носом самолета, затем обхватил руками лопасть винта и поцеловал блестящий обтекатель.

— Спасибо Тебе, Дэйзи, — сказал он, — за замечательный, прекрасный, невозможно великолепный, восхитительный, восхитительный, восхитительный счастливый полет, мой изумительный большой ловкий сильный самолетик, я люблю Тебя.

Что ж такого, что на чистом покрытии остались следы рук и поцелуев Дикки? Зато я никогда не забуду, что это такое — летать!

Одиннадцать

Когда я вернулся домой, Лесли сидела за компьютером, выполняя какую-то спешную работу. Я остановился перед ее дверью, она обернулась ко мне и улыбнулась.

— Привет, Вук. Как тебе леталось с Дикки?

— Отлично, — сказал я. — Было очень интересно.

Я бросил свою летную сумку около двери, накинул куртку на кресло, просмотрел свежую корреспонденцию. Почему мне так непросто рассказать ей о том восторге, который был в полете?

— Каждый полет интересен, — сказала она. — Что-то было не так?

— Ничего. Да так, ну... ребячество, я думаю; как-то глупо даже об этом говорить.

— Ричард, тебе это кажется ребячеством! Ты пригласил ребенка в свое сознание, туда, где он никогда не бывал!

— Ты не будешь считать, что я сошел с ума, если я все тебе расскажу?

— Я давно считаю тебя сумасшедшим, так что этим меня уже не удивишь.

Я рассмеялся, рассказал ей все как было, как странно было опять чувствовать себя мальчишкой, когда все вокруг так ново, как будто ты никогда раньше не летал и сейчас держишься за штурвал впервые.

— Великолепно, дорогой, — сказала она. — Многие ли могут похвастаться, что они пережили в своей жизни такое, что пережил в этот день ты? Я горжусь тобой!

— Но это не может продолжаться вечно. Как мне рассказать ему о проблемах взрослого — женщины, семья, заработок на жизнь, поиски религии — это будет для него не так интересно, и, боюсь, он начнет зевать раньше, чем я дойду до половины, и попросит вместо этого коробку конфет. Я не знаю детей, я не нахожу, что бы я мог сказать ребенку, пока он не вырос.

— Разве он не соответствует тому, что говаривал ты о самом себе, — спросила она, — ничего не знающий, но чертовски понятливый? Если он просил тебя написать ему книгу о том, чему ты научился за пятьдесят лет, то, наверное, он хотел чего-то большего, чем просто коробка конфет.

Я кивнул, вспоминая то время, когда я был им. Я хотел знать тогда все обо всем, за исключением бизнеса, политики и медицины; я и сейчас сохранил круг своих интересов.

Я задумался: откуда исключения? Эти проблемы столь скучны потому, что все они возникают по поводу различных социальных соглашений и контрактов, а для меня нет ничего более занудного, чем добиваться консенсуса с равнодушными людьми. Дикки тоже должен чувствовать это. Где у нас может быть больше общего, чем в прошлом? Существуют ли еще не обнаруженные нами фундаментальные ценности, общие для нас обоих? Каким он представляет себе того человека, которым я стал? Какие у него самого жизненные ценности?

Я уставился в ковер. Жизненные ценности девятилетнего? Эй, тебя заносит, Ричард!

Лесли оставила меня с моими мыслями и повернулась к экрану компьютера.

Он хочет знать то, что знаю я. Объяснить несложно, но за деталями не будет эмоций, не будет ощущения всей картины. Сомневаюсь, что он сумеет что-то изменить, но, по идее, нет ничего плохого в том, чтобы я его учил, а он меня слушал. Это не обязательно должна быть дорога с двусторонним движением.

— Где он сейчас? — спросила она, не отрывая взгляда от экрана компьютера.

— Сейчас узнаем.

Я закрыл глаза. Ничего. Никаких картин, ни мальчика, которым я был. Бездонная пустая чернота.

— Вуки, может, это прозвучит глупо, но он убежал! — сказал я.

Двенадцать

Когда в ту ночь я бросился на кровать и закрыл глаза, первым, что я увидел, была деревянная камера темницы.

— Дикки, — прокричал я. — Извини! Я забыл!

Тяжелая дверь приоткрыта.

— Дикки? Привет!

Внутри никого. Скамейка, детская кроватка, холодный огнемет. Он провел здесь десятилетия, потому что я решил никогда не становиться заложником своих чувств, не метаться в бессилии туда и сюда, когда разум бездействует. Но зачем я так перегнул палку? Зачем понадобилось такое самоуничтожение — неужели от неуверенности в себе?

Но сегодня этой проблемы нет, размышлял я; сегодня я могу возвратиться и смягчить свою крайнюю меру. Да, я несколько поздно вспомнил о своем человеческом лице. Но «несколько поздно» — это лучше, чем таскать в гору эмоциональные валуны, скатывающиеся обратно.

— ДИККИ!

Только эхо.

Он где-то в дебрях моего сознания. Там так много темных мест, где можно спрятаться, если не хочется выходить. Почему он не хочет побыть со мной? Не потому ли, что слишком привык за эти годы жить своим умом и теперь не очень-то доверяет прежнему тюремщику?

Он исчез, когда я перестал разговаривать с ним по дороге из аэропорта домой. Когда я переменил его человеческий облик на причудливое порождение моего сознания, он выскользнул за дверь, и я даже не заметил этого.

Да что же это такое, ворчал я, неужели мне нужно разговаривать с ребенком беспрерывно всю дорогу, чтобы он не удрал?

Может быть, не обязательно и разговаривать, но по крайней мере следовало бы очистить от шипов и паутины тропинку между нашими сознаниями. Может быть, достаточно хотя бы не забывать о нем.

— ДИККИ!

Нет ответа.

Я поднялся в своем сне вверх, на высоту вертолета, чтобы расширить зону поиска. Суровый холмистый ландшафт вокруг, каменистая пустыня Аризоны, жаркое полуденное солнце.

Я опустился на край огромного высохшего озера; вокруг, насколько хватало глаз, земля напоминала побитую черепицу.

Довольно далеко, почти посередине этой печи, виднелась маленькая фигурка.

Расстояние оказалось больше, чем я думал; бежать пришлось долго, и я все удивлялся, что это за дикий ландшафт. Кто его выбрал, он или я?

— ДИККИ!

Он повернулся ко мне и следил, как я приближаюсь, но сам не пошевелился и не произнес ни слова.

— Дикки, — я задыхался. — Что ты тут делаешь?

— Ты пришел, чтобы запереть меня опять?

— Что ты! Что ты говоришь! И это после того, как мы с тобой летали вместе? Это был самый замечательный полет в моей жизни — потому что ты был рядом!

— Ты отшил меня! Как только мы повернули домой, ты перестал и думать обо мне! Я вызван для того, чтобы промыть мне мозги, но ты не думай, я знаю, что могу уйти от тебя! Я могу бросить тебя и никогда больше не вернуться! Что тогда с тобой будет?

Он сказал это так, словно я был обязан ответить, что со мной произойдет катастрофа, если он покинет меня. Как будто я уже не прожил прекрасно и без него большую часть своей жизни.

— Я прошу извинить меня. Пожалуйста, не уходи.

— Меня легко забыть, — сказал он.

— Я бы хотел тебя понять. Неужели нам нельзя стать друзьями?

Я могу прожить без тебя, думал я. Но мне почему-то не хотелось, чтобы он так вот взял и исчез, этот невинный и нераспознанный малыш, затерянный среди завалов и пожарищ моего внутреннего мира.

Он ничего не ответил. С этим упрямцем, видимо, придется повозиться, подумал я, но все-таки он не настолько глуп, чтобы убежать от меня. Хотя почему он должен верить типу, который засунул его в темницу, а сам ушел навсегда? Уж если здесь кто-то и глуп, то не этот мальчишка. Он сел на глинистое дно сухого озера и уставился на дальние холмы.

— Где мы? — спросил я.

— Это моя страна, — сказал он грустно.

— Твоя страна? Почему здесь, Дикки? Ты мог бы выбрать любое место в моем сознании, где угодно, ты мог бы выбрать себе самое подходящее место, только бы захотел.

— Это и есть самое подходящее место, — сказал он. — Посмотри вокруг.

— Но все вокруг мертво! Ты выбрал крупнейшее сухое озеро в южных пустынях и называешь это своей страной, своим наиболее подходящим местом?

— Это никакое не сухое озеро.

— Я говорю то, что вижу, — сказал я. — Плоское, как жаровня, спекшийся ил потрескался на маленькие квадратики, и это на много миль вокруг. Это, случайно, не Долина Смерти?

Он смотрел мимо меня куда-то вдаль.

— Это не просто поломанные квадратики, — сказал он. — Каждый из них отличается от другого. Это твои воспоминания. Эта пустыня — твое детство.

Тринадцать

Все слова в моей голове рассыпались, я застыл в молчании, не находя ответа. Он прав, подумал я наконец, это его страна. Я вспомнил те немногие случаи, когда я обращался к своим старым воспоминаниям, — это было как раз то место, куда я сейчас попал: сухое, мертвое, заброшенное; все, что когда-то было, обратилось в прах. Спустя мгновение я пожимал плечами — счастливое детство, но воспоминания отвратительны, — и научился жить без своей юности. Почти. Вот здесь она лежит.

Он обернулся и посмотрел на меня — себя, выросшего за все эти годы. С ним в глубине меня.

Я наконец обрел дар речи:

— Все эти воспоминания так же мертвы и для тебя?

— Конечно нет, Ричард.

— Почему же они сейчас так выглядят?

— Они похоронены. Все. Но я могу возродить их, если захочу.

Он усмехнулся так, как будто вылил на меня ведро холодной воды и у него про запас осталась еще тысяча таких ведер.

— Все мое детство?

— Угу, — сказал он. — Ты отказываешься от меня, я отказываюсь от тебя.

Я потрогал пальцами твердую спекшуюся землю под ногами, попробовал сковырнуть обожженный солнцем кусок корки. Глина была прочной, как осколок искореженного железа.

— Есть ли тут водонапорная вышка? Почему я помню водонапорную вышку? Что она означает?

Он засмеялся и, передразнивая мой голос, сказал:

— Вероятно, это был самый крупный предмет в округе.

— Дикки, пожалуйста, я должен знать. Давай меняться, я тебе прогулку на самолете, а ты мне водонапорную вышку, идет?

— Прогулка на самолете и так моя, — сказал он. — Ты задолжал мне ее. И ты задолжал мне еще в тысячу тысяч раз больше.

Никто не говорит, что мы должны нравиться друг другу, думал я, но я не ждал, что мы так быстро дойдем до бездушных переговоров через железный стол. Так у нас ничего не получится.

— Дикки, ты прав. Извини меня. Я должен тебе тысячу тысяч прогулок на самолете, даже больше. Я должен тебе все, чему я научился с тех пор, как мы расстались, и я готов заплатить по счету. Я пообещал. С тобой остались только твои воспоминания. Ты не должен мне ничего. Это я должен тебе.

Его рот раскрылся в удивлении.

— Что ты имеешь в виду?

— Ты можешь убегать сколько хочешь. Я же до конца жизни буду возвращаться и пытаться все исправить.

И тогда он сделал удивительную вещь. Он отошел на несколько футов в сторону, нагнулся к растрескавшейся глине и дотронулся до одного из квадратиков земляной мозаики, ничем не отличавшегося от других. От его прикосновения кусочек легко отделился от своего гнезда — и оказался стеклянными янтарно-медовыми сотами.

— Вот твоя водонапорная вышка, — сказал он и прямо передо мной разбил вдребезги о землю странный хрупкий предмет.

Четырнадцать

Не так просто разрушить стену забвения. Обломки воспоминаний еще долго громоздились повсюду, но наконец мир вокруг меня изменился, и открылась полная панорама моего детства. Я вспомнил: земля вокруг дома кишела гремучими змеями, дом — скорпионами, гигантские многоножки хозяйничали в душевой комнате. Но для мальчишки на ранчо в Аризоне со всеми этими пустяками нетрудно было справиться.

Просто утром, прежде чем обуваться, нужно было постучать туфлями по полу и вытрясти ночных гостей. Прежде чем вскакивать на камень или кучу хвороста, следовало убедиться, что никто не сочтет тебя захватчиком и не загремит хвостом, предупреждая об атаке.

Пустыня представлялась морем шалфея и камней, а горы — островами на горизонте. Все остальное было стерто в прах, время спрессовано в камни песчаника.

То, что я увидел, оказалось не водонапорной башней, а скорее ветряной мельницей. Единственным объектом в вертикальном измерении была в моем детстве эта устрашающая конструкция.

Каждый день кто-нибудь взбирался по лестнице наверх, чтобы проверить уровень воды в открытом баке, подвешенном значительно выше крыш. Мои братья превратили это в нудную ежедневную обязанность. Для меня лестница на башню была равнозначна эшафоту для висельника. Пугала не сама высота, а возможность свалиться с нее и еще что-то, чего я даже не мог понять.

Бобби старался заставить меня влезть на башню.

— Сейчас твоя очередь, Дикки. Иди посмотри уровень воды.

— Сейчас не моя очередь.

— Всегда не твоя очередь! Рой лазит туда, я лажу туда. Теперь твой черед.

— Я еще слишком мал, Бобби, не заставляй меня лезть.

— Да ты просто трусишь? — дразнил он. — Маленький мальчик боится влезть на вышечку.

Спустя пятьдесят лет я не могу вспомнить, насколько горячо любил брата, но, похоже, в те моменты я готов был пожелать ему смерти.

— Это слишком высоко.

— Маленький мальчик боится подниматься!

И он лез наверх, совершенно бесстрашно добирался по лестнице до края бака, объявлял, что в баке 525 галлонов, спокойно спускался вниз и шел в дом читать свою книгу.

Как просто было бы мне признать: ты прав, Боб, я всего лишь маленький мальчик, который невероятно боится лезть на эту вышку, уверенный, что поскользнется и упадет, а во время падения ударится три или четыре раза о ступеньки лестницы, оторвет себе руки и ноги и наконец упадет навзничь на острый камень; и я бы предпочел избежать этого жизненного опыта по крайней мере до тех пор, пока не подрасту, спасибо за внимание.

Сегодня я мог бы сказать такое своему брату, и, я чувствую, он бы меня понял. Но в то время признать свою детскую слабость было немыслимым даже для ребенка, и ужасная вышка представлялась мне огромным восклицательным знаком после слова *трус*.

Я ненавидел эту вышку, как булавка ненавидит магнит. Строение из грубого дерева возвышалось, как монумент презрения к слабеньким мальчикам, к трясущимся от страха неженкам, к тем, кто становится неудачником еще до окончания второго класса.

В тот год, когда мы жили на ранчо, я по нескольку раз в день, оставшись один, взбирался на первую, самую широкую ступеньку лестницы в двенадцати дюймах от земли. Следующая ступенька была чуть уже первой и отстояла от земли на двадцать четыре дюйма. Третья находилась там, где начинался страх, в трех футах над землей; именно с этой ступеньки я обычно спускался и убегал прочь.

Иногда я осмеливался стать на четвертую ступеньку и посмотреть вокруг. Лестница казалась нацеленными прямо в небо деревянными рельсами для паровоза. Она слегка прогибалась внутрь, так как была прикреплена болтами к узкой перекладине вышки, но на ней совсем не было поручней. С каждой ступенькой цепкость рук слабела от страха.

Я застыл перед пятой ступенькой. До верхушки лестницы еще двадцать ступенек. Никто не видит меня, я могу упасть и разбиться насмерть. Да если бы даже кто-нибудь и видел, что бы это изменило, Дикки? Ты разбился бы точно так же. Ты сам себе хозяин, пора возвращаться. Сидеть на земле совершенно безопасно — некуда падать.

Осторожно, очень осторожно я опустил одну ногу вниз на перекладину, затем вторую, и стал на песок. Я снова стоял на земле, дрожа от облегчения и ярости.

Я *ненавижу* свою трусость! Меня ужасает смерть. К чему мне рисковать своей жизнью здесь, в этой безучастной ко всему пустыне, где меня даже никто не просит лезть на эту дурацкую вышку?

Я опять подошел к деревянным ступенькам. Я себя уже уверенно чувствую на третьей ступеньке. Я могу опять подняться на третью ступеньку, как я это уже делал, а потом спуститься, если захочу, или подняться выше. А что, если подняться на третью ступеньку и посвистеть там? Это будет неплохо. Если я не смогу свистнуть, то буду стоять там до тех пор, пока мне это не удастся. Или спущусь и пойду домой, и никто не узнает об этом.

Очень трудно ругать вышки, если ты не знаешь ни одного ругательного слова кроме «черт»; слово «черт» исчерпывало мой набор ругательств еще многие годы. «Черт» не преобразует страх в злость, как это умеют делать современные ругательства, и путь подъема до пятой ступеньки оставался нестерпимо долгим.

Но идея сработала. Шаг за шагом я делал своим другом каждую пройденную ступеньку. Каждую из них я представлял как живую... Если я достаточно долго стоял на ней и разговаривал с ней, то потом было легче подняться на следующую.

После того как я смог свистнуть на пятой ступеньке, я поставил ногу на шестую. Стою долго... трудно дышать, еще труднее свистнуть. Почему мне кажется, что уже так высоко, ведь под ногами всего шесть футов...

...это от моих *ног* всего шесть футов до земли. Но моя голова, центр сознания и жизни, и всего сущего, — она же находится на высоте почти десять футов! Не хватает воздуха, чтобы свистнуть.

Но тогда стоп... Если так, то мне не нужно подниматься на все оставшиеся девятнадцать ступенек! Мне нужно подняться лишь настолько, чтобы я мог заглянуть внутрь бака, моим же ногам не нужно заглядывать в бак, достаточно чтобы глаза увидели... то есть мне не нужно будет подниматься на последние три с половиной ступеньки!

Я свистнул на шестой и взобрался на седьмую ступеньку.

Только не смотри вниз, говорил мне брат.

Слабый свист, и я чувствую себя уютно, словно лежу на кровати, по которой ползет скорпион. Уж лучше стоять на этой лестнице, чем видеть ползущего к тебе скорпиона — хвост с жалом болтается над головой, клешни раскрыты. Свист. Еще ступенька.

Я чувствую, как слабеют мои руки на ступеньках. Я просовываю правую руку за лестницу и прижимаюсь к перекладине грудью. Я свалюсь только если оторвется рука.

А если оторвется ступенька... я полечу навзничь вниз. Что я здесь делаю? Я разобьюсь насмерть непонятно ради чего! *Что я здесь делаю?*

Я стоял на семнадцатой ступеньке, вцепившись обеими руками в лестницу, ширина которой теперь не превышала двух футов. Надо мной висела темная громада водяного бака, крепкая и надежная, но там нет никаких ручек, не за что схватиться руками, если сорвешься с лестницы. Уже не до свиста. Все, что я мог сделать, это прилепиться к лестнице и сжать зубы, чтобы не закричать от ужаса. Оставалось еще три ступеньки.

Две ступеньки, сказал я себе. Еще только две ступеньки. Мне нет дела до третьей, мне нужны две. Я не должен смотреть вниз. Я буду смотреть вверх, вверх, вверх. *Я подниму глаза мои на холмы...* — так молится мой отец за обеденным столом, откуда никто даже не думает падать. Господи, как высоко! Еще две ступеньки.

Двумя ступенями выше мне стало дурно, когда я увидел обод бака. Меня пугал не вид бака, а то, что он достаточно близок, чтобы ухватиться за него двумя руками, но если я это сделаю, то зависну, болтаясь в воздухе, не в состоянии дотянуться обратно до лестницы, и буду так висеть, пока пальцы медленно не разожмутся...

Зачем я думаю об этом? Что за глупости у меня в голове? Прекрати, прекрати, прекрати. Подумай лучше еще об одной ступеньке.

Весь обод бака был покрыт дегтем. Кто-то поднимался сюда, и не просто поднимался, а держал в одной руке банку с дегтем, а в другой — кисть, и он смазал дегтем весь обод, чтобы дерево не гнило. Боялся ли он? Он был тут еще до того, как я приехал, и его не пугало, что он может упасть, его заботило только, чтобы дерево не гнило... Он должен был сидеть на краю бака, переползать по всему его периметру и работать до тех пор, пока не закончился деготь, после чего он спустился вниз, набрал еще дегтя и поднялся опять, чтобы закончить свою работу!

Чего же я так боюсь? Мне не нужно ничего тут красить, мне вообще ничего не нужно тут делать, мне только нужно подняться еще на одну ступеньку и заглянуть за край этого бака, этого бака, этого бака...

Она была всего пятнадцать дюймов шириной, эта моя последняя ступенька, и я достал ее и подтянулся вверх, не отводя глаз от колеса ветряной мельницы, огромного, всего в шести футах над моей головой.

Вижу болты и заклепки на лопастях, пятна ржавчины. Слабый ветерок сдвинул лопасти на дюйм, а секундой позже, когда он стих, колесо вернулось в прежнее положение. Вид этого огромного колеса вблизи усугубил мое состояние настолько, насколько это еще было возможно. В непривычной смене масштаба было что-то пугающее... Это колесо, этот высочайший объект на много миль в округе... он не должен быть таким большим. Пожалуйста, не нужно этого массивного круга прямо над головой, ведь это означает, что я тоже нахожусь на самой высокой точке в округе, самой высокой, откуда можно упасть.

Что, если кто-нибудь видит меня здесь? Пожалуйста, кто-нибудь, не зови меня, потому что, если мне нужно будет отвечать на вопросы и одновременно держаться, я не справлюсь с этим и упаду. Пожалуйста, Бобби, пожалуйста, Рой, пожалуйста, не выходите и не смотрите на меня.

Я поднял голову, один судорожный дюйм за другим, заглянул за край бака. По внутренней стороне белой краской нанесен аккуратный ряд цифр, маленькие возле дна, у верхнего края самые большие. И почти на дне бака — странно видеть на такой высоте в воздухе — вода! Зеленоватая прозрачная вода, не очень глубокая; неподвижная поверхность как раз достигала отметки 400.

Рой стоял здесь и видел эти цифры, Бобби тоже стоял на этом самом месте, где сейчас стою я. Я знал, что умру в ту же секунду, если сейчас случится землетрясение или порыв ветра сдует меня отсюда, но *я был таким же смелым, как и мои братья!*

Мне еще предстоял длинный путь вниз, ступенька за ступенькой, но я уже ПОБЕДИЛ! Я уже прямо сейчас ПОБЕДИЛ!

Я натянуто улыбался смертельным оскалом, впившись в небо, словно изголодавшаяся пиявка. Они больше НИКОГДА не назовут меня трусом!

Все так же медленно я опустил голову и посмотрел вокруг с высоты вышки.

Пока я полз по лестнице, кто-то изменил весь мир. Дорога внизу, крыша нашего дома, сажа в трубе, прохудившаяся местами кровля — чудесный игрушечный домик, со всеми деталями, для игрушечных людей ростом не больше моего пальца. Кактусы уже никакие не великаны-часовые, а безобидные гномики-подушечки для иголок. Отсюда видны пасущиеся в загонах ослы — не крупнее белок, — ворота и даже проезжая дорога, соединяющая Бисби с Фениксом. *Если бы я мог летать!*

А еще были горы. Я находился очень высоко, но они были еще выше. Однажды, Дикки, шептали они, когда ты взглянешь на нас с высоты, не покажется ли тебе весь мир игрушечным? А если покажется, что тогда ты скажешь?

Я дрожал и не мог взять себя в руки, малейшее движение глаз или головы отдавалось волной ужаса. Я упаду и разобьюсь насмерть, так и не сумев спуститься... но я никогда такого не видел...

Если смотреть с высоты... то все меняется! *Как все прекрасно!* Как жизнь может казаться такой плоской на земле и такой величественной с воздуха?

Пятнадцать

Дикки смотрел на меня сверху вниз, когда я сел на сухое дно озера. На его лице появилась едва заметная тень облегчения. Поднято лишь одно воспоминание из-под многотысячной груды других.

— Когда это было? — спросил я, ошеломленный всем увиденным.

— Нам было семь. Ты стал взрослеть и ушел от меня, когда мне было девять, когда умер Бобби. После этого только будущее интересовало тебя, ты хотел вырасти и стать свободным, ты хотел уйти в свой путь налегке.

Он не жаловался, он только напоминал мне то, что я уже знал.

— Ты оставил мне все воспоминания, которые были тебе ни к чему. Они все здесь, все до одного, но они ни о чем мне не говорят, я не могу в них разобраться без тебя. — Его голос стал тише, я едва различал слова в тишине пустыни. — Ты мог бы пояснить мне, что они значат.

Он молча смотрел на меня, возбужденный таинственными силами, которые безжалостно гнали меня сквозь детство. Действительно ли я тот единственный, кто может стать ступенькой между ним и его незнанием, кто может вырвать кнут из его рук, единственный спаситель, который когда-либо придет ему на помощь?

— Расскажи мне, — попросил он. — Мне нужно знать! Я помню все, но ничто ничего не значит для меня!

Вместо того чтобы успокоить его, я нахмурился. — Это так и есть, Дикки. Ничто ничего не значит.

— Но ведь для тебя это не пустое воспоминание! — Он в отчаянии пытался влезть на стеклянную гору, сплошь покрытую жирными, скользкими вопросительными знаками. — Водонапорная вышка! Ричард, ты же знаешь что она значит!

Я поднялся с места, где сидел, и взял его за плечи.

— Я знаю только то, что она значит для меня, Дикки. Но водонапорная вышка может иметь еще миллион значений, которых я не выбирал, которые не имеют смысла для меня. Ничто не имеет смысла до тех пор, пока оно не изменит тебя и твоего способа думать.

— Ты говоришь как взрослый, — сказал он. — Ничто не имеет смысла?

— Пока ты не разобрался с тем, что случилось в твоем сознании, — сказал я. — Подъем на водонапорную башню ничего не значил до тех пор, пока ты не придал ему значение. Реши для себя задачу — когда ты прокладываешь путь наверх: равнозначна ли высота твоему страху? И вся твоя жизнь меняется. «Посвятить свою жизнь высоте? Только не я! Никаких высот, ради Бога, пожалуйста!»

— Это решение, — продолжал я, — этот преподанный тобой себе урок определяет тысячи возможных, приемлемых для тебя будущих, вычеркивая при этом тысячи других, в том числе, возможно, и мое. Никаких высот — означает никаких самолетов означает никаких полетов означает никаких прыжков с парашютом означает никаких Шепардов означает никаких воспоминаний о Дикки означает никакого освобождения его из камеры означает ни тебя ни меня среди этого озера воспоминаний.

— Ты решил, что высота не равнозначна страху.

— Прекрасно, Дикки! С высоты ветряной мельницы ужас был написан строчными буквами, а ВОСТОРГ — заглавными. Из этого я вынес решение, которое изменило всю мою жизнь: *Преодолевай страх и получай восторг.* Это справедливо и поныне.

Я посмотрел ему в глаза:

— Ты единственный, кто может решить, является ли моя правда правдой для тебя или это чепуха. Принципы, за которые я готов умереть, высочайшие права, которые мне ведомы, для тебя могут быть всего лишь предположениями, возможностями. Ты делаешь выбор, и твоя последующая жизнь является результатом этого выбора. Каждое *да, нет, возможно* создает школу, которую мы называем личным жизненным опытом.

Я думал, что груз всего сказанного заставит его задуматься, но через секунду он уже тянулся ко мне с вопросом:

— За пятьдесят лет ты, конечно, уже выяснил, что есть что для тебя и *как все работает?*

— Ну, в общем, кое-что я понял, — скромно сказал я.

Шестнадцать

С тех пор как псих Шепард сказал мне о книге, которую я должен написать для мальчика — прежнего меня, — моя голова, по крайней мере какая-то часть ее, постоянно была занята этим вопросом.

— Расскажи мне это попроще, — сказал Дикки дрожащим голосом; осуществилась его мечта, можно все узнать, но оказалось, что это все слишком сложно.

Я уже пытался когда-то объяснять, как я понимаю устройство мира, и каждый раз без особого успеха. Мне требовалось изложить сначала немного теории и несколько фундаментальных принципов. Но каждый раз неизменно повторялось одно и то же: после двух-трех часов теории мои слушатели валились, как каменные идолы, с остекленевшими глазами, устремленными в пустоту. Как раз в тот момент, когда я доходил до самого интересного, они отворачивались, совершенно перестав слушать.

Но с Дикки все должно быть иначе. В любом возрасте для меня самым увлекательным было то, что трудно понять.

— Чтобы найти свой путь на Земле, — сказал я, усаживаясь на пересохшее дно, — тебе нужно понять для себя две вещи: силу согласия и цель счастья. Но прежде чем ты сможешь понять это, тебе следует понять главный закон Вселенной. Он прост. Всего два слова: *Жизнь Есть*. Все остальное вытекает из них, это можно назвать логическим каскадом. Вот как это происходит...

Он опустился на колени рядом со мной, его глаза оказались на одном уровне с моими.

— Скажи, как это — быть старым?

— Прости?

Кажется, этот вундеркинд не слушал меня.

— Как это — быть старым? — повторил он.

Я вытаращил глаза:

— А как же насчет устройства Вселенной?

— Ты его выдумываешь, — сказал он. — А я хочу знать, что ты знаешь.

— *Я его выдумываю?* Но ведь мы говорим о моей жизни, это как раз то, что ты так хотел знать! Я считаю, что это чертовски важно, устройство Вселенной. Я дал бы что угодно за то, чтобы разобраться в этом, когда я был тобой. Кроме того, я совершенно ничего не знаю о возрасте. Я не верю в возраст.

— Как ты можешь не верить в возраст! — сказал он. — Сколько тебе лет?

— Я прекратил счет уже давно. Это очень опасно.

— Опасно?

Его совершенно не интересует моя доморощенная философия, но мой возраст для него важен. Как мы все-таки переменились!

— Подсчитывать возраст опасно, — сказал я. — Когда ты маленький, то каждый день рождения радует тебя. Это праздничный стол, и подарки, и ощущение себя именинником, и шоколадный торт. Но осторожно, Дикки. В каждом именинном торте заложен крючок, и если ты проглотишь слишком много крючков, то все, ты уже пойман на идею, от которой уже никогда не отделаешься.

— Правда? — Он думает, что я шучу.

— Как умирают дети? — спросил я.

— Они падают с деревьев, — ответил он, — они попадают под троллейбус, их засыпает в пещерах...

— Отлично, — сказал я. — Как твоя фамилия?

Он нахмурил лоб и поднял голову. Неужели этот старик уже забыл?

— Бах.

— Неверно, — сказал я. — Это твое предпоследнее имя. Настоящее твое последнее имя, в нашей культуре, — это число, и этим числом является твой возраст. Ты теперь не Дикки Бах, а...

—...Дикки Бах, Девять.

— Молодец, — сказал я. — И люди с маленькими цифрами в последнем имени всегда умирают от Несчастных Случаев — просто они оказались в неудачном месте в неудачное время. Джимми Меркли, Шесть, держал слишком большую связку надувных шариков, порыв ветра подхватил его и унес в море, и больше его никто не видел. Энни Фишер, Четырнадцать, нырнула и не нашла выхода из затонувшего колесного парохода, который когда-то плавал вдоль континентального шельфа. Дикки Бах, Двенадцать, подорвал себя, изобретая гидразиновое топливо для своей ракеты.

Он кивнул, соображая, к чему я клоню.

— А люди с большими цифрами в последнем имени, — продолжал я, — умирают от Неизбежных Случаев, от которых нельзя ускользнуть. Мистер Джеймс Меркли, Восемьдесят Четыре, закончил свой путь от острой летаргии. Миссис Энн Фишер-Стоувол, Девяносто Семь, скончалась от болезни Лотмана. Мистер Ричард Бах, Сто Сорок Пять, умер от безнадежной старости.

Он рассмеялся — цифра 145 невозможна.

— Хорошо, — сказал он. — Ну и что? Что плохого в днях рождения?

— Когда твои цифры маленькие, ты не собираешься умирать. Но когда твои цифры становятся большими...

—...ты готовишься умереть.

— *Большое число, значит, пора мне умирать*. Это называется слепой верой — когда ты соглашаешься с правилом, не задумываясь над ним, когда ты переходишь от одного ожидаемого события к другому. Если ты не примешь меры предосторожности, то вся твоя жизнь превратится в цепочку из тысячи предначертанных событий.

— И слепая вера всегда плоха, — сказал он.

— Не всегда. Если мы не примем некоторых общих верований, мы не сможем жить в нашем пространстве-времени. Но если мы не верим в возраст, то по крайней мере не должны будем умирать оттого, что изменилось число в нашем имени.

— А я люблю торты, — сказал он.

— По одной свече в год. Ты ешь свечи?

Он поморщился.

— Нет!

— Ешь торты в любой день, когда захочешь. Только не ешь торты со свечами.

— Но я люблю подарки.

— Для этого не нужны дни рождения, ты можешь получать подарки от себя самого каждый день в каждом году.

Он помолчал минуту, размышляя над этим. Все, кого он знал, праздновали дни рождения.

— Ты что, дефективный? — спросил он.

Я расхохотался, откинув голову назад. Мне вспомнилось, что у нас дома высшей ценностью всегда считалась образованность. Первым взрослым словом, которое я узнал, было слово «словарь». Мама приучила меня к словарю после того, как я перешел во второй класс, и я себя чувствовал очень умным, поскольку родители всегда говорили, что ум должен идти впереди чувств. Эмоции под контроль, уму полную волю.

«Дефективный» было не единственным словом, подчерпнутым мною из словаря: я до сих пор помню «доверенное лицо», «отъявленный» и «полисиллабический». Для публики были еще «антидизистеблишментарианизм» и «диизобутилфеноксиполиэтоксиэтанол»; первое мне никогда особенно не нравилось, но раскатистое переливчатое звучание второго я люблю до сих пор и употребляю это слово при каждом подходящем случае.

— Конечно, Дикки, я дефективный, но по-хорошему.

— Ты только что выбросил мои дни рождения. Ты это называешь «по-хорошему»?

— Да. И хорошее — это освобождение от условностей. Я выбросил еще и кое-что другое.

— Что же?

— Когда ты перестаешь верить в дни рождения, то представления о возрасте становятся чем-то далеким для тебя. Тебя не будет травмировать твое шестнадцатилетие, или тридцатилетие, или громоздкое Пять-Ноль, или веющее смертью Столетие. Ты измеряешь свою жизнь тем, что ты знаешь, а не подсчитываешь, сколько календарей ты уже видел. Если тебе так нужны травмы, так уж лучше получить их, исследуя фундаментальные принципы Вселенной, чем ожидая дату столь же неизбежную, как следующий июль.

— Но все другие дети будут тыкать в меня пальцем — вон пошел мальчик без дня рождения.

— Вероятно, да. Но ты решай сам. Если ты считаешь, что в этом есть какой-то здравый смысл — подсчитывать, как долго ты уже бродишь по этой планете под солнцем, — то продолжай праздновать дни рождения, заводи свои маленькие часики. Проглатывай крючки каждый год и плати свою цену, как все другие.

— Ты давишь на меня, — сказал он.

— Я бы давил на тебя, если бы заставлял тебя отказаться от дней рождения вопреки твоему желанию праздновать их. Если ты не собираешься это прекращать, так и не надо, какое тут давление.

Он посмотрел на меня искоса, чтобы убедиться, что я не насмехаюсь над ним.

— Ты действительно взрослый?

— Спроси у самого себя, — ответил я. — Ты действительно ребенок?

— Я думаю, что да, хотя я часто чувствую себя старше сверстников! А ты чувствуешь себя взрослым?

— Никогда, — сказал я.

— Значит, приятные ощущения сохранились? Я, маленький, чувствую себя взрослым, а состарившись — буду чувствовать молодым?

— С моей точки зрения, — сказал я, — мы безвозрастные создания. Приятные ощущения того, что ты старше или моложе своего тела, возникают на контрасте между традиционным здравым смыслом — что сознание человека *должно* соответствовать возрасту его тела — и истиной; а истина состоит в том, что сознание вообще не имеет возраста. Наши мозги никак не могут совместить эти вещи в рамках пространственно-временных правил, но, вместо того чтобы подобрать другие правила, наше сознание просто отворачивается от проблемы. Всякий раз, когда мы чувствуем, что наш возраст не соответствует нашим числам, мы говорим «Какое странное ощущение!» и меняем тему разговора.

— А что, если не менять тему разговора? Какой тогда будет ответ?

— Не делай из возраста ярлык. Не говори: «Мне семь» или «Мне девять». Как только ты скажешь: «У меня нет возраста!» — то не останется и причин для контраста, и странные ощущения исчезнут. Правда. Попробуй.

Он закрыл глаза.

— У меня нет возраста, — прошептал он и спустя мгновение улыбнулся. — Интересно.

— Правда?

— Получается, — сказал он.

— Если твое тело в точности соответствует твоим представлениям, — продолжал я, — а твои представления сводятся к тому, что состояние тела никак не зависит от времени и определяется внутренним образом, то тебя никогда не смутит, что ты чувствуешь себя моложе своих лет, и не испугает, что ты слишком стар.

— Кто-то сказал, что тело является совершенным выражением мысли? Чьи это слова?

Я хлопнул себя по лбу.

— А! Это философия! Кто-то тут сказал, что я ее выдумываю и что все это слишком тяжело и занудно для девятилетнего человека.

Он спокойно смотрел на меня, едва заметно улыбаясь.

— Это кому же девять?

Семнадцать

— Дикки, давай я расскажу тебе один случай.

— Я люблю рассказы, — сказал он.

— Это случай не из твоих, а из моих воспоминаний. Ты помнишь мое прошлое, я помню твое будущее. Так это где-то оттуда. Только лучше я не буду рассказывать, а покажу. Идет?

— Идет, — сказал он настороженно, но на этот раз любопытство было сильнее страха. — Это опять будет философия?

— Это будет один случай. Настоящий случай из твоего будущего. Подключайся к моим мыслям и следи внимательно, а потом скажешь мне, философия это или нет.

Дикки постепенно становился моим другом, напарником по приключениям.

— Внимание, начали.

Я закрыл глаза и стал вспоминать.

В моем внутреннем пустом пространстве на серебряном тросе висела длинная массивная стальная балка, сбалансированная в горизонтальном положении. Многие годы я жил, учился, играл на этой балке, держась так близко к ее середине, что наклонялась она очень редко и едва заметно.

Но в отрочестве все ценности подвергаются проверке.

— Я знаю, что нам делать, — сказал Майк.

Стоял летний полдень, дома никого не было: отец на работе, мать поехала за покупками. Майк, Джек и я отчаянно скучали. В глубине души я считал, что никакая это не трагедия, если новый учебный год начнется как можно скорее.

— Что нам делать? — спросил я.

— Давайте выпьем!

Мне сразу стало неуютно. Он имел в виду не лимонад.

— Выпьем чего?

— Выпьем ПИВА!

— Болтай! — сказал Джек. — Где его взять, пива?

— Да хоть тонну! Ну как, пропустим по глотку?

Меня толкали туда, куда мне вовсе не хотелось... Я сразу очутился так далеко от центра, как мне еще никогда не приходилось, и балка, означавшая равновесие в моей жизни, угрожающе поплыла подо мной.

— Может, лучше не надо, Майк, — сказал я. — Твой папа узнает. Он придет домой и увидит, что пива стало меньше...

— Не-а. Он его накупил столько... У них сегодня вечеринка. Он никогда в жизни не заметит!

Майк побежал на кухню и вернулся, неся в одной руке три бутылки, в другой — три стакана, а в зубах — открывашку. Он поставил стаканы на кофейный столик.

Это безумие, подумал я. Мне нельзя пить, я же не взрослый!

— А если он узнает, — спросил я, — то убьет тебя или только искалечит?

— Ничего он не узнает, — ответил мой друг. — И потом, раньше или позже, мы все равно научимся пить. Так давайте раньше! Правильно, Джек?

— Конечно...

— ПРАВИЛЬНО, ДЖЕК?

— ПРАВИЛЬНО!

— ПРАВИЛЬНО, ДИК?

— Не знаю...

— Ну, тогда пьем, два мужика и ребенок.

— Ладно, открывай, — сказал я.

Кто его знает, подумал я. Говорят, это очень вкусно. И охлаждает в жару. Все мужчины пьют пиво, кроме моего папы. От одного стакана я вряд ли опьянею, а если это так вкусно, как они говорят, то какое значение имеет мой возраст...

Стальная балка внутри меня так перекосилась, что мне оставалось только забраться на ее верхний конец. Я не знал, что случится, если я свалюсь, и мне не хотелось это выяснять.

Майк откупорил бутылки, желтая пенистая жидкость доверху наполнила стаканы. Он первым поднял свой, облизывая губы в предвкушении:

— Ну, пацаны, вздрогнули. Ваше здоровье!

Мы выпили.

Мне перехватило горло от первого же глотка. Да, холодное. Но что касается вкуса... Какой там вкус, это же отвратительно. Наверное, я еще не дорос до пива.

— Дрянь! — сказал я. — И это считается *полезным?*

— Конечно! — сказал Майк, держа стакан в высоко поднятой руке и гордо поглядывая на нас.

— Да, — сказал Джек. — Я мог бы привыкнуть к этому.

— Бросьте заливать, ребята, — сказал я. — Вы что, с ума сошли? У этой гадости такой вкус, как будто весь мой химический набор слили в ведро и оставили на недельку, чтобы завонялся.

— Это же *ферменты*, понимаешь, *ферменты*, — Майк уже забыл, что мы друзья. — Это настоящее пиво, понимаешь! И дело не в том, какой у него вкус и нравится ли оно тебе. Когда выпьешь больше, тогда и понравится. А сейчас *ты должен выпить!*

Я сжался от страха. Неужели я должен делать что-то независимо от того, нужно мне это или нет? Это вот так становятся взрослыми — когда ты обязан делать все, что делают другие? Мне не нравится то, что здесь происходит. Куда мне деваться? Где искать помощи?

Помощь пришла из глубин сознания — взрыв, срывающий двери с петель, сокрушительная яростная сила. Этот подонок думает, что он может приказывать мне, что я должен и чего не должен делать. *Ты должен!* Что он имеет в виду? Кому это я должен? Я *никому ничего* не должен, если я не хочу! А этот паяц заставляет МЕНЯ делать то, чего хочет ОН!

Я резко поставил стакан на стол, пиво плеснулось через край.

— Ничего я *не должен*, Майк. И НИКТО мне не указ, НИ В ЧЕМ!

Оба приятеля замолчали и растерянно глядели на меня, забыв поставить стаканы.

— Я НЕ БУДУ! — я вскочил на ноги в благородном бешенстве (пусть попробует кто-нибудь остановить меня!) — И НИКТО!..

Хлопнув дверью, я вылетел на улицу. Сидевший во мне наблюдатель был ошеломлен не меньше, чем двое мальчишек в доме. Кто этот дикарь, проснувшийся во мне? Он не перестарался, не переборщил, — нет, этот парень, которого я никогда не видел, вырвался откуда-то сзади, сгреб и поволок меня, не спрашивая ни моего, ни чьего бы то ни было согласия, это настоящий, высшего класса БУЙНЫЙ!

Я брел домой и быстро остывал. Внезапно я заметил, что гигантская стальная перекладина подо мной выровнялась и обрела равновесие и надежность гранитной глыбы. Я удивленно заморгал, потом нерешительно улыбнулся, потом громко захохотал! И пошел быстрее! Да, этот парень свиреп... Но он — это я! Он на моей стороне! Слышишь, парень, *кто ты?*

Никто тебя не заставит делать что бы то ни было. Ты понял это, Дик? Никогда! Никто! Ни Майк, ни Джек, ни папа, ни мама, — *никто* в мире не может заставить тебя делать то, чего ты не хочешь делать!

У меня даже рот раскрылся. *Он заботится обо мне!*

Да. О тебе заботятся и другие люди, ты еще познакомишься с ними. Тебе нелегко, малыш, и если ты окажешься совсем уж беззащитным, я тебя выручу!

Стоп, подумал я. Майк — мой друг, я не должен защищаться от своих друзей!

Дурак ты, дурак. Слушай внимательно, потому что теперь ты не увидишь меня, пока опять не потеряешь равновесие и не перепугаешься. Майк никакой не твой друг. Заруби себе на носу, что твой лучший друг — это Дик Бах. Это мы, множество уровней тебя, и ты можешь обращаться к нам, когда захочешь. Никто тебя не знает. Никто тебя по-настоящему не знает, только мы. Ты можешь разрушить себя, а можешь полететь выше звезд, *— и нико-му до этого нет дела, никто не будет все это время с тобой, — только мы!*

Прошла еще минута. И я мысленно поблагодарил за спасение меня. Там, только что. И извини, что я дурак. Мне еще учиться и учиться.

Никакого ответа.

Я поблагодарил тебя, слышишь? Я серьезно!

Никакого ответа. Мой внутренний крутой телохранитель исчез.

Восемнадцать

— Это должно случиться со мной? — спросил Дикки, ошарашенный и слегка испуганный своим будущим.

— Если ты сделаешь мой выбор, то должно. Но кое-что уже случилось, как следствие той минуты, и ты должен это знать.

— Покажи мне, — попросил он.

Недалеко от дома я замедлил шаг, свернул в сторону на лужайку, где буйствовал высокий сочный пырей, и улегся среди трав, маскировавших контуры убежища, которое я выкопал прошлым летом.

Я лежал на спине и смотрел, как в вышине летнего неба тихо скользят по ветру новенькие, только что отчеканенные облака.

Я всегда считал, что все эти голоса в моей голове — это мои собственные беззвучные разговоры, отражения в пустой пещере. Иногда осмысленные тексты, иногда обрывки болтовни, к которой я почти не прислушивался, они служили как бы разминкой для мозга — чтобы не остыл.

Но различные уровни внутри меня? Части меня, с которыми я незнаком? Я сгорал от любопытства.

Если внутренние голоса — не просто отражения, а нечто большее, то не могу ли я переквалифицировать эту компанию болтунов в учителей и наставников?

Я нахмурился. Нет. Не могу я тренировать кого-то на собственного учителя. Как это возможно?

Это было похоже на исследование с помощью гигантского микроскопа: ответ под объективом, но вне фокуса; а я на самом краю, и нужно чуть-чуть довернуть, очень осторожно...

Что, если мои учителя здесь, и именно сейчас?

Что, если вместо беспрерывного говорения — там, в мозгу — я для разнообразия *послушаю?*

Никогда еще мир не был таким отчетливым, цвета не были такими чистыми. Трава, небо, облака, даже ветер — все было ярким.

Мои учителя уже существуют!

Что, если все эти уровни внутри меня — мои друзья, которые знают неизмеримо больше, чем знаю я? Это было бы так, как будто...

«...как будто вы капитан парусного фрегата, сэр, очень молодой капитан великолепного быстроходного корабля».

Мгновенно вид неба с облаками сменился в моем мозгу иной сценой: мальчик в голубом кителе с золотыми эполетами стоит на шканцах боевого корабля, эбеновая чернота корпуса внизу, белоснежные скошенные ветром паруса вверху на реях...

Сам я вообразил эту картину, или кто-то молниеносно нарисовал ее?

Корабль движется, почти черпая воду шпигатами с наветренной стороны и разрезая носом огромные накатывающие волны; мальчик стоит на палубе, матросы в униформе носятся как угорелые.

Восхищенный, в нетерпении я мысленно прокручиваю события вперед. Судно идет на рифы, устрашающие коралловые лезвия затаились под поверхностью воды.

— Прямо по носу буруны! — кричит впередсмотрящий.

Корабль продолжает идти вперед, каждая доска, каждый канат, каждый ярд парусной ткани, каждое живое существо на борту — все сосредоточено на движении вперед, на удержании курса.

— Где буруны, там рифы, верно? — спрашиваю я (я мгновенно понял обстановку и превратился в мальчика). — Если мы не поменяем курс, то наскочим на рифы, не так ли?

— Так точно, сэр, наскочим, — раздается спокойный бас первого помощника; темное от загара лицо старого моряка совершенно бесстрастно.

— Скажи им, пусть поменяют курс!

— Вы можете сами стать у руля, капитан, или отдать приказ рулевому, — говорит помощник. — Он выполнит только вашу команду.

С верхней палубы мне хорошо видно, как синие волны вскипают, взрываются белой пеной впереди, не далее двенадцати длин корпуса корабля.

Никто не может командовать судном, только капитан.

— Сменить галс! — прозвенел мой не столько командный, сколько испуганный голос.

И тотчас спицы колеса слились в сплошной круг под руками рулевого, судно развернулось, взметнулись занавесом брызги, словно мустанг промчался полным галопом по поверхности моря.

Команда бросилась к шкотам и брасам, фрегат накренился к ветру, меняя левый галс на правый, раздался громовой залп парусов.

Офицеры на верхней палубе неотрывно следили за происходящим, не говоря ни слова капитану. Возраст Мастера не имеет значения, так же как и последствия его распоряжения. Комментарии допускаются только тогда, когда потребует капитан.

Зрелище было ярче, чем на экране в широкоформатном цветном кино, и это был фильм о моей жизни.

Я не выдумывал картину. Я только просил показать ее, но не выдумывал. Что же это, мне служит какая-то невидимая команда? Кто передал мне это изображение?

— Слушаю, сэр.

Голос такой же четкий, как и картина. Неужели тоже воображаемый?

— Так точно, сэр. Мы разговариваем на языке, которым вы пока еще не пользуетесь. Это ваше воображение преобразует наши знания в картины и слова, которые служат вам в вашем путешествии.

— Вы разговариваете, только когда к вам обращаются?

— Словами — да. А в других случаях мы появляемся в виде чувств, интуиции, осознания.

Фрегат с шипением летел вперед, страстно жаждая сменить направление на другое — любое, какое я захочу. Я перешел на корму, обнял бизань обеими руками, прижался к ней. Мой корабль! Почему в такую яркую и правдоподобную идею так трудно поверить?

— Я здесь командую, — произнес я, чтобы убедиться в этом окончательно.

— Так точно, сэр.

— А ты тот, кто спас меня от Майка и от пива?

— Нет, сэр. То был... В этой картине он был вторым помощником. Мы можем отдать наши жизни за вас, сэр, но по-разному; так вот, Второй мыслит проще, чем мы, остальные, он воспринимает все в черно-белом варианте, и если вам грозит опасность, он просто выходит вперед и ничего не боится.

— А вы, остальные, боитесь?

— Мы все совершенно разные.

Всю жизнь я чувствовал себя одиноким. Я был спокойным ребенком, и *что-то* было во мне непонятное, что-то могучее и доброе, и как-то оно так во мне существовало, что я не мог его понять.

Теперь я понял это сразу. Это *что-то* был мой корабль с его таинственной командой. Я не понимал до сих пор, что *я командую*, абсолютно и беспрекословно, кораблем моей жизни! Я определяю его назначение, его распорядок и дисциплину, моего слова ожидает каждый рычаг, каждый парус, каждое орудие и всякая живая сила на его борту. Я хозяин команды преданных мастеров, готовых по единому моему кивку поплыть со мной в пасть к самому дьяволу.

— Почему вы не говорили мне, что вы существуете? — спросил я. — Мне так много нужно узнать! Вы мне необходимы! Почему вы не сказали мне, что вы со мной?

Я лежал в траве и прислушивался к ветру.

— Мы не говорили вам, сэр, — услышал я ответ, — потому что вы не спрашивали.

Я открыл глаза. Мы долго не говорили ни слова. Дикки сидел рядом, закрыв глаза, и изучал корабль.

— Как ты думаешь, малыш, — спросил я его, — это философия или нет?

Он открыл глаза.

— Не знаю, — ответил он, глядя на меня. — Но только отныне называй меня *капитаном*.

Я ткнул его кулаком в бок, не сильно, что означало: «Неплохая идея».

Девятнадцать

Это вне сферы моих интересов, думал я, уставившись в зеркало невидящим взглядом и растирая по щекам лосьон после бритья. Медицина — это ложный путь.

Меня ошеломляет ханжество медицины и ужасают ее догмы. Лекарство от любой болезни — это же абсурд, чистое безумие. Каждый пузырек — приобретенный в открытую или из-под полы, легально или нелегально, по назначению врача или без него — отдаляет нас от осознания нашей завершенности и от возможности различить истинное и ложное. Лучшее лечение — прекратить принимать лекарства, все без исключения, независимо от их происхождения и назначения. С моей стороны преступно поддерживать людей, которые относятся к человеческому телу как к механизму, а не вместилищу разума, людей, которые видят только поверхность вещей и не в состоянии проникнуть в их глубину.

Лесли — моя противоположность. Она способна часами изучать медицинскую литературу, сидя в кровати с расширенными от любопытства глазами. Иногда она хмурится, недовольно ворча: «Правильное питание, упражнения — как они могут об этом забывать?», но в общем, сложность медицинских заключений доставляет ей удовольствие.

Она может читать все, что ей угодно, напомнил я себе, вплоть до учебников черной магии, если ее это заинтересует. Но *moi?** Поддерживать систему помешанных на лекарствах белых халатов, слишком занятых собой, чтобы обратить внимание на целый спектр наших творческих болезней? Нет уж!

---

* Я — (франц.)

В таком состоянии духа я одевался на больничный благотворительный бал.

Лесли сочла это приглашение привилегией, дающей нам возможность внести хоть какой-то вклад в битву прогресса с неизлечимыми болезнями и мучительным умиранием.

— Что ж, идем, — согласился я.

Я не часто вижу свою жену в вечернем платье. Полное крушение всех принципов, отступление побежденного сознания — разве это высокая цена за такое зрелище?

Я втиснулся в свой самый темный пиджак, прицепил на лацкан маленький значок с изображением *Сессны* и протер его большим пальцем.

— Не поможешь ли мне управиться с этим, милый, — донесся из ванной голос жены. — В талии нормально, а в груди — не пойму, то ли платье село, то ли я полнею...

Я всегда готов протянуть руку помощи, поэтому тотчас бросился в ванную.

— Вот здесь. Спасибо, — сказала она, взглянув в зеркало.

Она поправила рукав.

— Как по-твоему, это подойдет?

Услышав за своей спиной стук падающего тела, она выждала минуту, повернулась, чтобы помочь мне подняться, прислонила меня к косяку и стала ждать словесной оценки.

Платье было шелковисто-черным, с большим вырезом впереди и с длинным разрезом сбоку на юбке. Возникало впечатление, что оно охватывает все тело в долгом, чувственном объятии.

— Мило, — с трудом вымолвил я. — Очень мило.

Я попятился назад и стал причесываться. Хоть мне это все равно не удастся, подумал я, любой ценой я должен произвести на балу впечатление, что эта женщина — со мной.

Она тщательно изучала свое отражение, уже сверив его с сотней суровейших стандартов, и все же сомневалась:

— Это ведь выглядит не слишком вызывающе, правда?

Мой голос меня не слушался.

— Это выглядит просто восхитительно, — наконец произнес я, — пока ты остаешься в этой спальне.

Она сердито глянула на меня в зеркало. Когда Лесли одета официально, в ней начинает говорить ее бескомпромиссное голливудское прошлое, а это уже серьезно.

— Ну же, Ричи! Скажи мне, что ты думаешь на самом деле, и если оно выглядит чересчур... то я его сниму.

Сними, подумал я. Давай сегодня вечером вообще останемся дома, Лесли, давай отправимся в другую комнату и там необычайно медленно, дюйм за дюймом, снимем твое удивительное, с церемонии вручения Оскара, платье и на всю следующую неделю забудем о том, что нужно куда-либо идти.

— Нет, — ответил я вслух, презирая себя за утраченный шанс. — Это отличная маленькая вещица, и она очень тебе идет. Подходящее, я бы даже сказал — исключительно подходящее платье для сегодняшнего бала. Сегодня полнолуние, так что полиция, скорее всего, вообще не отвечает на звонки.

Она все еще сомневалась.

— Я купила его как раз перед тем, как мы познакомились. Ричи, этому платью уже двадцать лет, — сказала она. — Может быть, лучше надеть белое шелковое?

— Может, и лучше, — ответил я ей в зеркало. — Безопаснее, это точно. Никто в этом городе никогда в своей жизни не видел такого платья.

Двадцать лет, подумал я, и никакая деликатность не может заставить меня отвести взгляд. По-моему, она меня околдовала. Лесли всегда умела одеваться, и при желании могла поразить этим любого, но сегодня явно будет массовое убийство.

Я вспомнил фразу, которую когда-то, еще до нашего знакомства, записал на листке, а потом, много лет спустя, нашел его на дне одной из папок: «Влюбленные, принимающие идеалы друг друга, с годами становятся все более привлекательными друг для друга». Сейчас все сбывалось, и эта женщина в зеркале, решающая, надевать ли ей ожерелье в одну или в две нитки, была моей женой.

Я смотрел на нее с удивлением. Кажется ли она мне такой прекрасной оттого, что я смотрю на нее пристрастным взглядом влюбленного, который не видит перемен и недостатков, очевид-

4 – 4585

ных всему миру? Или это на самом деле свершается наш дар друг другу — из года в год выглядеть все лучше?

Не курить, не пить, никаких наркотиков, никаких интимных связей на стороне. Без мяса, без кофе, без жиров и шоколада, без переутомлений и стрессов. Все делать не спеша, меньше пищи, больше тренировок, работа в саду и параплан, плавание и йога, свежий воздух и натуральные соки, музыка и учеба, разговоры и сон. Каждый пункт в этом списке — результат упорной борьбы с самим собой и лавиной обстоятельств, отдельная цель, достигнутая серией побед и поражений. Шоколад — моя основная проблема, безжалостные рабочие дни — беда для Лесли.

— Нельзя, отказавшись от всего этого, не получить хоть что-нибудь в награду, — произнес я вслух.

— Что ты сказал?

Через несколько минут нам пора выходить. Она пытается уложить направо светлый локон, который упрямо стремится влево. Слишком поздно переодеваться, и платье-убийца пойдет с нами. Как они все-таки умудряются шить женскую одежду, которая повторяет такие невероятные изгибы?

— Ты так прекрасна, что мне даже дышать стало трудно.

Она отвернулась от зеркала и улыбнулась мне.

— Ты действительно так считаешь?

Она протянула мне руки.

— Ох, Вуки, спасибо тебе. Извини, что я немного рассеяна. Просто я хочу, чтобы тебе не было стыдно показаться со мной на людях.

Я обнял ее, прервав эти глупости. Почему все-таки внешность так важна? Когда-то мне казалось, что физическая красота — вовсе не обязательное качество в партнере. Я, правда, требовал этого качества, но не понимал почему... Разве не то, что находится внутри нас, главное?

Должно быть, я понял *что* раньше, чем *почему*. Не обладай мы с женой физической привлекательностью в глазах друг друга, мы никогда не смогли бы удержаться вместе в тех страшных житейских бурях, когда все остальное рушилось. «Я ее не понимаю, — не раз скрежетал я зубами. — Чертова педантичная упрямица!

Если бы она не была так красива, клянусь, я бы бросил ее навсегда».

А ведь в моей жизни были красивые женщины, которых я оставлял без сожаления, когда мы получали друг от друга все, ради чего встретились. Некоторые женщины, яркие при первой встрече, становятся неинтересными, когда ты узнаешь их ближе. И наоборот, существуют женщины — друзья и родные души: они оказываются тем прекраснее, чем глубже ваша дружба.

Так ли это с Лесли? Мог ли я вообразить, что Ее Величество Красота задержится с нами и даже засияет еще ярче? Такое произошло со мной лишь один раз в жизни — и эта женщина сейчас стоит передо мной.

Она закончила себя разглядывать, обернула плечи черной шелковой накидкой и взяла сумочку.

— Я готова!

— Отлично!

— Ты меня любишь?

— Да, — ответил я.

— А я даже не знаю за что...

— За то, что ты — любящая, теплая, остроумная, находчивая, добрая, любознательная, чувственная, смышленая, творческая, спокойная, многогранная, свободная, открытая, общительная, ответственная, блистательная, практичная, восхитительная, прекрасная, уверенная, талантливая, выразительная, аккуратная, проницательная, загадочная, изменчивая, любопытная, беззаботная, непредсказуемая, сильная, решительная, предприимчивая, серьезная, искренняя, отважная и мудрая.

— Здорово! Теперь я постараюсь вообще не опаздывать!

Двадцать

Когда мы вошли, я почувствовал себя переодетым Робин Гудом на балу в Ноттингеме. Люди весело болтали, качая головами, смеялись и потягивали шампанское из хрустальных бокалов на длинных ножках. Попался, подумал я: воинствующий драгофоб* окружен врачами всех видов. При первом же Аспириновом Тосте моя участь будет решена — они поймают меня с зажатой в кулак таблеткой и поднимут ужасный шум, крича и тыча в меня пальцами.

Тут я вспомнил о лестнице. Я брошусь по ней наверх, прыгну сквозь шторы в те высокие французские двери, превратив их в груду осколков и щепок, перелезу с балкона на карниз, взберусь по фигурной стене на крышу и исчезну в ночи.

Я всего лишь отшельник-самоучка, соломенный авиатор со Среднего Запада, торгующий полетами на биплане, банкрот, едва оправившийся от нищеты, — что у меня может быть общего с собравшимися здесь светилами? Зачем мне, человеку, который посвятил себя самому малочисленному движению в мире — Все-Лекарства-Есть-Зло, — врываться на бал Большинства?

Полюбоваться своей женой, вспомнил я.

Глаза Лесли сияли, когда я помогал ей снять накидку.

Я взял ее за руку, выждал один-два такта на краю паркетного поля, позволил этому полю превратиться в пшеничное, и мы поплыли по нему, Величие и Грация, две изысканные мелодии Австрии, летящие по смелым штраусовским изобарам. Я не знаю, как выглядел наш танец со стороны, но ощущения были в точности такими.

* Противник лекарств. — *Прим. перев.*

— Можно подумать, этим медикам не хватает их ежедневной анатомии, — заметил я, кружась с ней в танце.

— Да? — спросила она царственно.

Ее волосы развевались от быстрых движений.

— Видимо, так. С тех пор, как ты вошла, я еще не видел ни одного мужского затылка.

— Глупости, — ответила она, хотя то, что я сказал, в основном было правдой.

Как спокойно было, когда я не умел танцевать по-настоящему! Нет ничего легче и безопаснее, чем медленно переступать с ноги на ногу, как это делал я.

Но не было и радости, которая приходит в подлинном танце. Чтобы ощутить это, мне пришлось самому учиться танцевать, нелепо спотыкаясь в каком-то зале в окружении зеркал. К черту. Я сказал жене, что не для того я прожил так долго, чтобы вновь ощутить себя неуклюжим новичком в чем бы то ни было.

Лесли не согласилась со мной и посещала уроки танцев без меня, возвращаясь по вечерам такой сияющей, что я только диву давался — как можно получать такое удовольствие от танцев?

Она показала мне одно-два движения, и в какой-то момент учиться танцевать вместе с ней стало интереснее, чем сохранять безопасность и достоинство.

Конечно, все мои страхи стали явью. На многие недели я превратился в чудовище, бежавшее из подвала Франкенштейна, даже хуже. Электроды в его искусственном мозгу сверкали, наверное, слабее моих начищенных до блеска ужасных ботинок, беспощадно крушивших все менее подвижное, чем проворная ножка моего инструктора. Главное — настойчивость, остальное — вопрос времени.

Сейчас я полностью покорился музыке, не видя никого, кроме Лесли. Спасибо тебе, смелый Ричард недавнего прошлого, за то, что ты решился, наконец, разрушить свое безопасное невежество. Чувствовать музыку было удивительным наслаждением, и моя жена, должно быть, тоже ощущала это.

— Когда ты был маленьким мальчиком, Вуки, тебе иногда не казалось, что ты попал на Землю откуда-то со звезд?

— Хм, я был в этом уверен.

Я вспомнил свои самодельные телескопы. Смотреть в их окуляры было равнозначно поискам родного дома через иллюминаторы космического корабля.

— Я тоже, — сказала она. — Не то чтобы с какой-нибудь известной существующей планеты, а просто Оттуда.

Я кивнул, огибая другие пары, кружившиеся кто по левой, кто по правой спирали.

— Если бы кто-нибудь попросил меня показать, в каком направлении находится мой дом, я бы указал вверх; до недавнего времени я не мог этого объяснить, — сказал я.

Она подняла голову.

— Я не могу указать внутрь себя: там — небольшое пространство, заполненное внутренними органами так, что едва остается место для дыхания. Не могу я также указать ни влево, ни вправо — эти направления ведут только к другому *здесь*. Единственное оставшееся направление — вверх, прочь от Земли. Вот почему я так долго испытывал ностальгию по звездам.

— А я испытываю ее до сих пор, — сказала она. — Если на нашу крышу приземлятся инопланетяне, попросим их забрать нас домой?

Эта картина вызвала у меня улыбку. Наша крыша не выдержит летающую тарелку. Сможем ли мы полететь с пришельцами, которые раздавили нашу кухню?

— Они не смогут вернуть нас домой, — заметил я, — потому что наш дом — не звезды. Как указать направление к дому, который лежит в другом пространстве-времени?

— Должны же быть карты, — предположила она.

Я ничего не смог ответить и задумался о том, что она только что сказала. Тем временем мелодия вернулась к своему началу, вздохнула и наконец остановилась.

Карты существуют, подумал я. Тогда, давным-давно, я указывал не в сторону звезд, а в сторону от Земли. Зная где-то глубоко внутри, что планета не может быть домом, я пытался показать, что дом — это вовсе не *какое-то* «где», однако до недавнего времени подлинный смысл всего этого до меня не доходил.

Мы прошли к нашему столу и встретили там две незнакомые пары — доктора с женой и больничного администратора с мужем. Я никак не мог придумать, что бы такое сказать после стандартного «Как поживаете?».

Ощущаете ли вы хоть какую-то ответственность за бурлящее вокруг аптечно-ориентированное общество? Дает ли вам счастье вера в то, что все мы — только беспомощные пассажиры наших тел? Правда ли, что среди врачей, как ни в одной другой профессиональной группе, свирепствует страх смерти и высокий процент самоубийств?

Мне пришло в голову спросить, есть ли среди присутствующих умбрологи.

Умбрологи???

Врачи, которые лечат заболевания тени, объяснил бы я: переломы тени, ее деформацию, отсутствие тени, гиперумбрию — ненормальную активность тени.

Умбрологи, знаете ли. Так есть здесь умбрологи?

Безумие, рассмеялись бы они. Что бы ни делало тело, тень только повторяет его движения.

Такое же безумие, ответил бы я им, забывать, что наше тело тоже только следует движениям нашей веры. Так что, ни одного умбролога, только врачи? И потом я бы удалился.

Вслух, однако, я ничего такого не сказал и никуда не удалился.

— Вы летаете на *Скаймастере*? — спросила меня администратор.

Я взглянул на нее: неужели врачи умеют читать мысли?

— Ваш значок — пояснила она. — Это ведь *Сессна Скаймастер*, не так ли?

— О да, конечно, — ответил я. — Немногие его замечают.

— А у меня *Сессна 210**, — сообщила она. — Почти *Скаймастер*, только с одним двигателем.

---

* Cessna-210 «Centurion».

— *Сессна, Сессна, Сессна*, — вмешался другой врач. — Наверное, за этим столом я — единственный, кто летает на *Пайперах*. Посмотрел бы я, как кто-нибудь из вас посадит *Твин Команч*.

— Дроссель до отказа и ручку немного на себя, — сказал я. — Это не так уж и сложно.

К моему удивлению, он улыбнулся.

Через минуту я взглянул на Лесли, а она в ответ невинно пожала плечами: мол, никогда не знаешь... вечеринка с танцами и разговорами о самолетах... быть может, это не так уж плохо.

Так и прошел этот вечер. Мы часто танцевали. Я вспомнил, что среди врачей немало авиаторов, и в этом зале их было множество. К полуночи мы уже перезнакомились с доброй дюжиной из них, и они оказались приятными людьми. Невероятно, но я чувствовал себя дома.

Что ж, у них иной взгляд на вещи, но это еще не конец света. Они делают то, чему их научили, и вовсе не навязывают людям медицину силой. По крайней мере, в небе нам всем хватает места.

Аспириновый Тост не состоялся, и мне не пришлось спасаться бегством по крышам. По-моему, это была фантазия девятилетнего Дикки, затаившегося и напряженно наблюдавшего моими глазами.

Платье-убийца выглядело великолепно, хотя и не вызвало падежа среди мужчин и замешательства среди женщин, каждая из которых была по-своему очаровательна.

— Я узнала сегодня так много нового, — сказала жена по дороге домой.

— По пунктам, пожалуйста.

Она улыбнулась.

— Во-первых, как мы танцевали. В сравнении с тем, что было раньше, сегодня все просто замечательно. Мы делаем успехи, и это меня очень радует.

— Меня тоже.

— Во-вторых — ты. Тебе понравилось нарядиться и пойти на бал! Притом с людьми, верящими в медицину. Я, конечно, не подала и виду, но ожидала, что ты сегодня заведешься до драки и, окруженный превосходящим противником, будешь сражаться насмерть за идею, что раз тело и душа — одно целое, то зачем же применять химию, ведь смена образа мыслей... и так далее.

— Я сдержался.

— Потому что многие из них летают, как и ты. Если бы они не были пилотами, ты бы счел их слугами Дьявола Фармакологии, обреченными гореть в аду. Но раз они тоже летают, ты увидел в них себе подобных людей и даже ни разу не назвал их *Чертовыми Белыми Халатами*.

— Просто я от природы очень вежлив.

— Только когда тебе не угрожают, — заметила она. — А ты понял, что тебе не угрожают, когда увидел, что они тоже любят летать.

— Ну, в общем, да.

— В третьих, мне понравился наш маленький диалог о доме. В самом деле, большую часть жизни я чувствовала себя одинокой. И не потому, что я постоянно переезжала с места на место, а потому, что я на самом деле одинока. Я думаю совершенно поиному, чем думают там, где я выросла, — мама или отец, или кто-либо еще из нашей семьи.

— Ты думаешь так же, как и твоя семья, милая, — сказал я. — Только твоя семья — не те люди, которых ты привыкла называть этим словом.

— Думаю, ты прав, — сказала она. — Пока я этого не понимала, я была одинокой. А потом я встретила тебя.

— Меня? — переспросил я удивленно. — Ты *вышла замуж* за Человека-Который-Во-Всех-Отношениях является твоим *братом?*

— Я бы снова так поступила, — сказала она без стеснения. — Сколько людей вокруг, Ричи, которые считают себя особенными, не похожими на других одиночками, хотя на самом деле они еще просто не обрели свою настоящую семью!

— Если бы мы не страдали от своей непохожести и одиночества, если бы мы не блуждали во тьме, мы бы никогда не ощутили радость возвращения домой.

— Снова о доме. Скажи, что, по-твоему, является домом?

— Дом, мне кажется, — начиная фразу, я еще не знал, как она закончится, — это знакомое и любимое.

Тут я ощутил внутри характерный щелчок, который раздается каждый раз, когда получаешь правильный ответ.

Разве не так? Ты садишься за пианино, просто чтобы сыграть для себя знакомую и любимую мелодию, — чем не возвращение домой? Я сижу в кабине маленького самолета — и это тоже мой дом. Мы с тобой вместе, ты и я, — значит, сейчас наш дом — в этом движущемся автомобиле; в следующем месяце нашим домом может стать какой-нибудь другой город. Мы дома, когда мы вместе.

— Значит, наш дом не среди звезд?

— Дом не является неким определенным местом. «Знакомое и любимое», мне кажется, вовсе не означает «сбитое гвоздями», «крытое черепицей» или «основательное». Мы можем привязываться к гвоздям и крышам, но стоит в наше отсутствие изменить их взаимное расположение, как, вернувшись, мы воскликнем: «Что это за груда досок?» Дом — это определенный порядок, который нам дорог, в котором можно безопасно быть самим собой.

— Отлично сказано, Вуки!

— И я бьюсь об заклад, что до того, как мы выбираем жизнь на Земле, существует еще какой-то любимый нами порядок, откуда мы приходим и который не имеет ничего общего ни с пространством, ни с временем, ни с материей.

— И то, что мы находимся здесь, вовсе не означает, что мы забыты, — произнесла она. — У тебя не бывает таких моментов, милый, когда тебе кажется, что ты почти припоминаешь... почти помнишь...

— Шестой класс!

И в этот момент, в машине, рядом с женой, без малейших признаков присутствия Дикки, все это было со мной, как будто никогда и не стиралось из памяти.

Двадцать один

— Шестой класс был толпой, Лесли, что я делал в толпе?

Ранчо и водонапорная башня превратились в воспоминания, море шалфея и камней превратилось в море опрятных домиков, дрейфующих в медленном калифорнийском течении травянисто-зеленых предместий.

Как много учеников в школе, думал я. Никто из них не смог бы запрячь и оседлать ослика, но каким-то образом большинство из них оказались неплохими ребятами. Ограниченными, но не плохими.

Они, в свою очередь, несколько дней с любопытством разглядывали меня, но приехать в Калифорнию из Аризоны — совсем не то, что приехать из Нью-Йорка или Бельгии. Я был безобиден, почти не отличался от них, и со временем, когда прошла новизна ощущений, я был принят на равных, еще одна щепка в бурном потоке.

— Баджи, я чокнутый?

— Да.

После уроков мы медленно ехали по пустынной осенней улице на велосипедах, бок о бок, и листья платанов хрустели под толстыми шинами.

— Не говори да, пока я не расскажу тебе, почему я думаю, что я — чокнутый. Ведь если я, то и ты тоже.

— Ты не чокнутый.

Сомневаюсь, чтобы в начальной школе имени Марка Твена нашелся кто-нибудь умнее Энтони Зерба. Без сомнения, никто не мог состязаться с ним в быстроте ума, силе или в беге, а также в надежности, когда требовалась его помощь.

— Баджи, ты ребенок? — спросил я.

— Да. Строго говоря, это так. Мы оба дети — ты и я.

— Точно — строго говоря. Но внутри, в душе, ты *ощущаешь* себя ребенком?

— Конечно, нет, — сказал он, убрав с руля руки и продолжая ехать так, немного впереди меня.

Он притормозил на секунду, и мы поравнялись.

— В душе я намного старше некоторых взрослых, взять хотя бы мистера Андерсона. Но мое тело отстает. Я еще не умею зарабатывать деньги, не могу жениться или купить дом. Мне не хватает роста. Я еще не получил всей информации, в которой нуждаюсь, однако внутри, как личность, я уже взрослый.

— Значит, по-твоему, мы считаемся детьми не потому, что мы бесполезны, а потому, что нам еще необходимо время, чтобы получить всю эту информацию и вырасти, а когда мы станем взрослыми, мы будем ощущать себя точно так же, как сейчас, разве что будем знать больше всяких полезных мелочей.

— Скорее всего, ты прав, — неуверенно сказал он. — Внутри мы будем чувствовать себя так же.

— Неужели тебя это не тревожит?

— С какой стати?

— Мы такие же взрослые, но только бессильные, Баджи! Разве тебе нравится быть бессильным?

— Нет. Я бессилен, но, в отличие от тебя, я...

Он остановился на середине фразы, и, подняв обе ноги, уперся ими в руль. Мы разогнались по Блэкторн-стрит, спускающейся вниз по невысокому холму.

— В отличие от меня ты что?

— Я терпеливый, — крикнул он, перекрывая ветер. — Меня не беспокоит, что деньги зарабатывает мой отец, а не я. Меня не беспокоит, что я еще ребенок. Мне еще многому нужно научиться, пусть это всего лишь мелочи.

— А мне это не нравится. Если внутри я взрослый... Должен быть тест, пройдя который, человек имеет право называться взрослым, независимо от его возраста.

— Всему свое время, — сказал он.

Мой товарищ вернул ноги на педали, ухватился за руль, свернул к бровке и, в последний момент перед ударом вздернув переднее колесо на целый фут от земли, запрыгнул на тротуар. Давно позабыты те дни, когда велосипеды приводили меня в ужас, и я каждый раз бежал жаловаться маме, когда Рой пугал меня, сажая на сиденье и толкая велосипед вперед.

Я въехал на тротуар вслед за Зербом, но только дождавшись ближайшей подъездной дорожки, где бордюрный камень отсутствовал. Я подумал о разнице между нами.

— Тебе не кажется, что ты — особенный?

— Ага, — сказал он и, стоя на педали с одной стороны велосипеда, въехал на лужайку перед своим домом и остановился. — А ты?

Я тоже остановился, замер на педалях, пока велосипед не начал терять равновесие, потом соскочил и положил его на траву.

— Конечно, я — особенный, — сказал я. — Все мы особенные! Назови мне хоть одного в нашем классе, хоть одного во всей школе Марка Твена, кто планирует вырасти и стать неудачником!

Зерб сел на траву, скрестив ноги и опершись о сиденье своего велосипеда.

— Но ведь все так и происходит. Что-то случается между временем, когда мы уверены в том, что мы — особенные, и временем, когда мы начинаем понимать, что это не так и что мы — обыкновенные неудачники.

— Со мной такого не случится, — сказал я.

Он засмеялся.

— Откуда ты знаешь? Откуда такая уверенность? Может быть, мы на самом деле еще не взрослые. Может быть, взрослым человек становится только тогда, когда перестает считать себя кем-то особенным. Может, быть неудачниками под силу только взрослым?

— Иногда по утрам я, проснувшись, выхожу из дома, и воздух такой... *зеленый*, понимаешь? Воздух говорит тебе: «*Сегодня что-то случится! Сегодня случится что-то очень значительное*». И хотя, сколько я помню, ни разу ничего такого не случалось, но это ощущение... Вроде бы ничего не происходит, но в то же время происходит. Ты понимаешь, о чем я?

— Может быть, тебе просто очень хочется, чтобы что-то произошло?

— Я не выдумываю, Бадж! Честное слово, я ничего не выдумываю. Что-то действительно есть такое, и это что-то будто зовет меня. Ты ведь тоже это слышишь, разве нет? Я имею в виду, ты тоже иногда это чувствуешь?

Он посмотрел мне прямо в глаза.

— Это как бы свет внутри меня, — сказал он, — как будто я проглотил звезду.

— ТОЧНО! И хоть ты тресни, тебе никогда не найти эту звезду, даже с микроскопом величиной в дом!

Мой друг лег рядом с велосипедом и наблюдал за опускающимися сумерками сквозь деревья.

— Днем звезды не увидишь. Нужно закрыть глаза, словно приспособиться к темноте, и тогда увидишь этот слабый свет вдали. Ты это видишь, Дик?

Только близкие друзья могут так разговаривать, подумал я.

— Этот свет — серебристая якорная цепь, уходящая из виду в глубокие воды.

— Глубокие воды! — сказал он. — Ой, точно! А мы ныряем, скользим в глубину, и там глубоко-глубоко цепь приводит к якорю — затонувшей звезде.

Я чувствовал себя дельфином, который вырвался из неволи в открытое море и нашел там друга-близнеца. Не один я чувствовал Нечто, влияющее на нас, — Нечто, не поддающееся словесному описанию.

— Так ты это знаешь, Бадж! Светящийся якорь! Я плыву к нему, и даже если все плохо, все прекрасно. Я погружаюсь все глубже, моя лодка уже не видна на поверхности, а якорь светится ярче самой яркой лампочки и он — внутри меня.

— Да, — сказал он задумчиво и уже без улыбки. — Он действительно там.

— Что же ты собираешься с ним делать? Ты знаешь, что этот... свет... *там*, и что теперь?

— Думаю, я подожду.

— Ты *подождешь*? Черт, Бадж, как ты можешь ждать, зная, что оно там?

Надеюсь, он понял, что в моем голосе звучало разочарование, вовсе не злоба.

— А что я еще могу сделать? Вот ты, Дик, что делаешь в свои зеленые утра?

Он сорвал травинку и пожевал ее чистый твердый стебель.

— Мне хочется бежать. Как будто где-то неподалеку спрятан космический корабль, и, если бы я знал, в каком направлении бежать, я бы его нашел стоящим с открытым люком, а в нем — те, кто меня знает, кто вернулся за мной после долгого отсутствия. И вот дверь закрывается — шшшшшшшшшшшшшшшш, и корабль взлетает — мммммммммм, и внизу — мой дом, но никто не видит ни меня, ни корабль, а он просто поднимается все выше и выше, и вот я уже среди звезд, почти дома.

Мой друг вращал пальцем переднее колесо своего велосипеда, словно медленную пустую рулетку.

— Ты поэтому спрашивал, не сумасшедший ли ты?

— Отчасти.

— Что ж, — сказал он, — ты действительно сумасшедший.

— Да, и ты тоже.

— Я — нет, — сказал он.

— А как насчет проглоченной звезды?

Он засмеялся.

— Я рассказал об этом только тебе.

— Спасибо.

— И лучше, — сказал он, — если ты не будешь об этом много болтать.

— Думаешь, я рассказываю об этом всем подряд? — сказал я. — Это — в первый и последний раз. Но мы ведь и вправду особенные, и ты тоже это знаешь. Не только ты и я, а мы все.

— Пока не вырастем, — сказал он.

— Брось, Баджи. Ты же в это не веришь.

Он встал в тусклом свете, поднял велосипед и покатил его за дом.

— Не торопись ты так. На все это нужно время. Если ты хочешь всегда помнить о том, кто ты, лучше найди способ никогда не стать взрослым.

Возвращаясь домой в темноте, я размышлял над этим. Может быть, мой корабль никогда меня не найдет. Может быть, я сам должен его найти.

Лесли, продолжая слушать, свернула направо, остановилась у знака «Стоп», и машина снова помчалась по широкой пригородной улице.

— Ты никогда мне об этом не рассказывал, — сказала она. — Каждый раз, когда я уже начинаю думать, что знаю о тебе все, ты выдаешь что-то новое.

— Я не хочу, чтобы ты знала все. Чем больше ты спрашиваешь, тем больше я вспоминаю.

— Правда? Расскажи мне.

— Эти зеленые времена! Иногда мне казалось, что я уже знаю, как все устроено, кто я, почему я здесь и что произойдет дальше. Это нельзя было выразить словами, я просто чувствовал. Это то, о чем я просил, и вот оказался здесь, на этой маленькой планете, в мире иллюзий. Отверни занавес, и там будет настоящий дом. Просто поворот сознания.

— Но занавес опять все закрывал, правда? — сказала она. — Со мной это бывало.

— Да. Он всегда закрывался опять, словно над моим частным кинотеатром закрывалась крыша, и я снова оказывался в темноте и мог видеть лишь, как проходит моя жизнь, в двух измерениях, только похожих на четыре.

Я чувствовал, как Дикки прислушивается внутри меня.

— Однажды во Флориде, возвращаясь в казармы после ночных полетов, я посмотрел вверх, и там был этот гигантский занавес, словно целая галактика Млечный Путь, край которого вдруг на минуту приподнялся. Я замедлил шаг и замер, как вкопанный, глядя в небо.

— Что же было на другой стороне? — спросила она. — Что ты увидел?

— Ничего! Разве это не странно? Когда эта светящаяся завеса отошла, на ее месте остался не какой-то вид, а удивительное чувство радости: *Все хорошо. Все просто замечательно.* Потом завеса постепенно вернулась на свое место, и я стоял в темноте, глядя на уже обычные звезды.

Я посмотрел на нее, вспоминая.

— То чувство никогда больше меня не покидало, Вуки.

— Я не раз видела тебя в ужасном бешенстве, милый, — сказала она. — Я видела тебя в такие моменты, когда ты вряд ли мог думать, что все в порядке.

— Верно, но разве с тобой так не бывало: скажем, ты играешь в какую-нибудь игру и так увлекаешься, что начинаешь забывать, что это — всего лишь игра.

— Я почти все время об этом забываю. Я считаю, что реальная жизнь реальна, и думаю, что и ты так считаешь.

— Признаться, иногда это так и выглядит. Я расстраиваюсь, когда что-то встает на моем пути, или начинаю злиться, то есть пугаюсь, когда над моими планами нависает угроза. Но это как раз настроение игры. Вырвите меня из игры, скажите мне в момент самой сильной злобы: *Конец жизни, Ричард, твое время вышло*, и вся моя злоба исчезнет, все перестанет иметь значение. Я снова стану самим собой.

— Напомни мне еще раз эти слова: «Конец жизни...?»

Я засмеялся, зная, что теперь услышу это, когда в очередной раз снова выйду из себя.

— Мгновенная перспектива, назовем это так. Ты согласна?

Она свернула к нашему дому, вверх по подъездной дорожке.

Любовь в браке, подумал я, сохраняется до тех пор, пока муж и жена продолжают интересоваться мыслями друг друга.

Она остановила машину и выключила зажигание.

— Это то, чего хочет он, правда? — спросила она.

— Кто?

— Дикки. Ему нужна мгновенная перспектива. Что бы ни происходило, он должен знать, что все в порядке.

Двадцать два

Должно быть, в его пустыне прошли дожди, так как высохшее дно озера покрылось травой, и на месте разорванных линий его памяти остались лишь малозаметные следы. На горизонте, не очень далеко, высилось дерево. Каким образом все так быстро изменилось?

Он стоял сразу за озером у подножия пологого холма, и я неторопливо приблизился к нему.

— Ты был там, Капитан? — спросил я.

— На балу? Когда ты испугался? Да.

— Я не испугался.

— А как насчет плана, как лучше сбежать, если бы они затеяли Аспириновый Тост?

— Прекрасный план, Дикки. Я почти надеялся, что это случится.

— Спасибо, — сказал он. — Он бы сработал.

— Да. Но были бы последствия.

— Мое дело было вытащить тебя оттуда, а последствия — это для взрослых.

— Они и не требовались, — сказал я. — Я мог бы выйти тем же путем, что и вошел. Без всяких объяснений, просто уйти, потому что мне не понравилось там находиться. Без погони и беспорядков, без пострадавших штор и разбитого стекла, без подъема на шесть этажей по стене в моих выходных туфлях и возращения по крышам к Лесли. Без последствий.

Он пожал плечами.

— Это значит, что ты — взрослый.

— Ты прав, — сказал я. — Это бы сработало и стало великим представлением.

Он начал взбираться по холму, как если бы на его вершине находилось что-то такое, что он хотел бы мне показать.

— Ты точно не веришь в медицину? — спросил он.

— Точно.

— И даже в аспирин?

Я отрицательно помотал головой.

— Ни капельки.

— А когда ты болеешь?

— Я не болею, — сказал я.

— Никогда?

— Почти никогда.

— Что же ты делаешь, когда тебе все-таки бывает плохо? — спросил он.

— Я приползаю из аптеки, нагруженный всевозможными лекарствами. Я начинаю с ацетаминофена и глотаю все подряд, не останавливаюсь, пока они все не закончатся.

— Если твое тело — идеальное отражение твоих мыслей о нем, почему ты лыс, как бильярдный шар? И почему ты пользуешься очками, читая полетные карты?

— Я ВОВСЕ НЕ ЛЫС, КАК БИЛЬЯРДНЫЙ ШАР! — возмутился я. — В мои мысли о теле входило облегчить расчесывание своих волос и то, что для отлично напечатанной карты вполне нормально выглядеть слегка расплывчатой, а для меня — смотреть на нее сквозь очки и считать, что так она выглядит отчетливее. Пришло ли мне это в голову, когда я, будучи тобой, каждый день мог видеть, что у папы меньше волос, чем у меня, и что они с мамой пользуются очками?

Он не ответил.

— То, что я знаю, что мое тело — это зеркальное отражение моих мыслей, — сказал я, — вовсе не означает, что я не могу быть ленивым или не искать легкие пути. В тот момент, когда мысленный образ моего тела начнет меня серьезно беспокоить, когда придет насущная потребность что-либо изменить, я это сделаю.

— А вдруг ты все-таки серьезно заболеешь? — спросил он. — Без дураков?

— Такого со мной не бывает — может быть, один-два раза за всю жизнь. Когда я учился летать, меня убедили, что летчики никогда не болеют. И это действительно так. Я не знаю ни одного летчика, который бы часто болел.

Он подозрительно посмотрел на меня.

— Почему?

Как это так получается, что иногда мы не знаем ответ до тех пор, пока не услышим вопрос, подумал я. До того, как открыть рот, я и понятия не имел, почему летчики редко болеют.

— Полеты все еще остаются фантазией, — сказал я, — для многих из нас. А в какой болезни есть фантазия? Когда живешь в полной мере тем, о чем всегда мечтал, плохому самочувствию неоткуда взяться.

Продолжая подниматься по холму, он улыбнулся, как будто читал мои мысли.

— Ты меня дурачишь, Ричард, — сказал он. — Ты совсем как папа. Ты меня дурачишь и при этом делаешь та-а-кое серьезное лицо, что мне трудно тебя раскусить.

— Не верь мне. Надейся только на себя, Капитан. Допустим, существуют результаты некоего сравнительного исследования здоровья людей, любящих свою работу, и людей, работающих по принуждению. Как ты думаешь, кто из них здоровее?

— Это нетрудно угадать.

Я коснулся его плеча.

— А что, если бы не было никакого исследования? — сказал я. — Стало бы твое мнение менее истинным?

Он широко улыбнулся мне с абсолютно беспечным видом.

— Это называется мысленным экспериментом, — сказал я ему. — Это способ выяснить то, что ты уже знаешь.

— Мысленный эксперимент! — сказал он. — Точно!

— Нужны ли тебе ответы?

— Конечно же, нужны!

— Нет, — сказал я.

— Почему это они мне не нужны?

— Потому что ответы изменяются, — сказал я. — Миллион ответов нужен тебе намного меньше, чем несколько вечных вопросов. Эти вопросы — алмазы, которые ты держишь на свету. Изучай их целую жизнь, и ты увидишь множество различных оттенков одного и того же камня. Каждый раз, когда ты задаешь себе один из этих вопросов, ты получаешь именно тот ответ, который тебе необходим, и как раз в ту минуту, когда он тебе необходим.

Он нахмурился, глядя на вершину холма, куда мы взбирались.

— Какие это вопросы?

— Вопросы вроде *Кто я?*

Это не произвело на него впечатления.

— Например?

— Например, перед тобой стоит такая проблема: все твои одноклассники во что бы то ни стало стараются быть модными: носят причудливую одежду, странно себя ведут и высказывают странные мысли. Станешь ли ты делать все это только для того, чтобы не выделяться и чувствовать себя в безопасности?

— Я не знаю. Я хочу иметь друзей...

— В этом твоя проблема. И ты находишь тихий уголок и спрашиваешь себя: *Кто я?*

По мере подъема нам все больше открывался вид на бархатисто-зеленую пустыню. Интересно, мой внутренний пейзаж тоже зеленеет теперь, когда я нашел и освободил этого ребенка?

— *Кто я,* — сказал он. — А что потом?

— Потом прислушайся. И прислушиваясь, ты вспомнишь. Ты — тот, кто однажды попросил высадить его на Землю, чтобы совершить что-то замечательное, что-то, имеющее для тебя значение. Разве Что-То Значительное означает подбирать на помойке любые дурацкие убеждения любых безмозглых ничтожеств только для того, чтобы приобрести фальшивых друзей?

— Ну...

— Вопрос *Кто я?* не изнашивается со временем, Дикки. Он помогает тебе на протяжении всей твоей жизни каждый раз, когда ты решаешь, что делать дальше.

— *Кто мои друзья?*

— Ты все понял! — сказал я, гордясь им.

Он остановился и посмотрел на меня.

— Что я понял?

— *Кто мои друзья?* Этот вопрос ты должен задавать себе всегда. В следующий раз, попав в окружение дюжины заблудших овец, поклоняющихся покрою твоей бейсбольной куртки, или стилю твоей прически, или твоим «суперкрутым» солнечным очкам, задай себе его. *Кто* мои друзья, мои настоящие друзья, кто те остальные, пришедшие вместе со мной со звезд? Где они сейчас и чем занимаются? Могу ли я быть другом самому себе, отравляя свое звездное сознание мертвым и грязным стадным чувством, поднимая с «друзьями» кружку пива?

Дикки успокаивающе взял меня за руку.

— Ричард, я всего лишь ребенок...

— Все равно, — продолжал ворчать я, двигаясь дальше. — Ты понял, о чем я. Помни, кто ты, — в этом и будет твой ответ. Как может пришелец со звезд барахтаться в грязи зыбких ценностей?

Он улыбнулся мне.

— Ричард, ты рассердишься, если я решу стать пьяницей?

Я повернулся к нему, пораженный его словами.

— Скажем, из меня выйдет *курящий-сигареты-принимающий-таблетки-размахивающий-флагом-стадный-повеса-бабник-пьяница,* — сказал он. — Тебя это расстроит?

— Если ты сделаешь этот выбор, немногие женщины решатся дотронуться до тебя даже палкой. Так что «бабника» можешь сразу вычеркнуть.

— Допустим, я все же так поступил, — сказал он. — Что бы ты на это сказал?

Был ли я разгневан, выйдя из себя в тот момент? Злость — это всегда страх, подумал я, а страх — это всегда страх потери. Потерял бы я себя, сделай он такой выбор? Хватило секунды, чтобы понять: я бы ничего не потерял. Это были бы его решения, не мои, а он волен жить так, как хочет. Потеря была бы неизбежна, если бы я осмелился влиять на его решения, стараясь жить одновременно и его, и своей жизнью. Это было бы ужаснее, чем жизнь на вертящемся стуле в баре.

Мне хватило этого момента и этой идеи, чтобы избавиться от раздражения и вернуться в спокойное состояние.

— Ты забыл упомянуть еще два качества, — сурово сказал я, — здравомыслие и сдержанность. Это мои качества, и у тебя их нет. В остальном твоя жизнь — это твое личное дело.

— И ты не будешь переживать за меня?

— Я не могу переживать о том, чего не могу контролировать, — сказал я. — Но вот что я тебе скажу, Дикки. Если ты дашь мне возможность управлять твоей жизнью, будешь следовать всем моим указаниям буквально, думать и говорить только то, что я тебе скажу, я возьму на себя ответственность за твою жизнь.

— И я не буду Капитаном?

— Нет, — сказал я. — Командовать буду я.

— Успех гарантируется?

— Никаких гарантий. Но если я разрушу твою жизнь, я обещаю, что буду очень расстроен.

Он остановился.

— Что? Ты командуешь, ты принимаешь за меня все решения, я следую всем твоим указаниям, а если ты разобьешь мой корабль о скалы, то обещаешь взамен всего лишь «быть очень расстроенным?» Нет уж, спасибо! Раз речь идет о моей жизни, то я поведу корабль сам!

Я улыбнулся ему.

— Ты становишься мудрее, Капитан.

Когда мы добрались до вершины холма, он остановился у грубого, торчащего из земли пня, который, по-видимому, служил ему сиденьем. Я мог понять, почему он выбрал именно это место: здесь легче всего было переживать ощущение полета, не пользуясь ни крыльями, ни воображением.

— Отличный вид, — сказал я. — В твоей стране весна?

Застенчивая улыбка.

— Немножко запаздывает.

Почему бы не сказать ему прямо, подумал я. Почему бы мне не сказать, что я люблю его и буду ему другом до конца своей жизни? Я подумал, что в этом разговоре участвуют и наши сердца тоже, и, кто знает, может быть, невысказанное ими имеет наибольшее значение.

— По-моему, нужен легкий дождик, — сказал я.

— Совсем чуть-чуть, — сказал он.

Несколько мгновений он смотрел вдаль, как будто набираясь храбрости. Затем он повернулся ко мне.

— Твоя страна тоже нуждается в дожде, Ричард.

— Может, и так.

Что он имел в виду? Как бы я был рад поделиться с ним всем, что я знаю, подумал я, не требуя ничего взамен.

— Я не знаю точно, что именно это значит для тебя, — сказал он, — но думаю, что многое.

До того, как я успел спросить, что он все-таки имеет в виду, он начал расшатывать торчащий перед нами из земли пень, наконец вытащил его и протянул мне — сын Моисея, протягивающий выцветшую табличку.

Это был не пень, а самодельное надгробие. Надпись на нем не содержала ни дат, ни эпитафии. Только четыре слова:

Бобби Бах

Мой Брат

Надежно забытое в течение полувека, все это вернулось.

Двадцать три

— Почему ты такой умный?

Мой брат поднял голову от книги, посмотрел на меня испытующе с высоты полутора лет разницы между нами.

— О чем ты, Дикки? Я не такой уж умный.

Я так и думал, что он это скажет и вернется к чтению.

— Все говорят, что ты умный, Бобби.

Любой другой брат на его месте вышел бы из себя и попросил семилетнего зануду отцепиться. Любой другой, но не мой.

— Ну хорошо, они правы, — сказал он. — Я должен быть умным, потому что я должен идти впереди и прокладывать тебе путь.

Если он подтрунивал надо мной, то не подал и виду.

— А Рой прокладывал тебе путь?

Он на минуту отложил книгу.

— Нет. Рой почти взрослый, и он другой. У меня не получается придумывать или мастерить вещи так же ловко. И я не умею рисовать так, как это делает Рой.

— Я тоже.

— Зато мы можем вместе почитать, правда?

Он сдвинулся на одну сторону широкого стула.

— Хочешь поупражняться в чтении?

Я забрался на стул рядом с ним.

— Ты такой умный, потому что много читаешь?

— Нет. Я читаю так много, потому что я должен быть впереди тебя. Если я прокладываю тебе путь, я должен идти впереди, ведь правда?

Он раскрыл книгу на наших коленях.

— Мне кажется, ты еще не можешь прочитать эту книгу. Ты же не можешь быть таким умным, правда?

Я посмотрел на страницы книги, в самом деле очень умной, и улыбнулся.

— Да нет, могу...

Он указал на заглавные буквы.

— Что здесь написано?

— Это легко, — сказал ему я. — «*ГЛАВА ТРИНАДЦАТЬ. ЗА ПРЕДЕЛАМИ СОЛНЕЧНОЙ СИСТЕМЫ*».

— Хорошо. Прочитай мне первый параграф.

В нашей семье на похвалу не скупились, но быстрее всего оценивалось умение хорошо читать, «с выражением», как говорила мама. Научись произносить написанные слова, и ты — образцовый сын.

В тот день я читал брату, стараясь так, как будто не читал, а сам рассказывал ему о звездах. Но глубоко во мне звучали его слова, которые я принял за истину: «Я должен прокладывать тебе путь».

Домой после школы, голодный, через ворота, через заднюю дверь — на кухню. Если повезет, можно стащить три-четыре ломтя ржаного хлеба, но, если увидит мама, за это меня могут лишить обеда.

Гм... Отец уже вернулся с работы — так рано? — и сидит на кухне с мамой и Бобби.

— Привет, папа, — сказал я, не подавая и виду, что испуган. — Мы что, опять переезжаем? Готовится что-то важное? Что это у вас здесь за конференция?

— Мы разговариваем с Бобби, — сказал мой отец. — И думаю, что нам лучше остаться одним. Ты не против?

Я на мгновение уставился на него, потом взглянул на маму. Она торжественно смотрела на меня, не говоря ни слова. Происходило что-то ужасное.

— О'кей, — сказал я, — конечно. Я буду у Майка. Пока.

Я толкнул вращающуюся дверь из кухни в гостиную, закрыл ее за собой и вышел через главный вход.

Что ж это происходит? Они никогда еще не говорили ни о чем таком, чего я не мог бы по крайней мере слушать. Разве я не являюсь частью этой семьи? Может быть, и нет! Может быть, они решают, как им от меня избавиться? Но почему?

Рядом с домом Майка росло лучшее дерево для лазания, которое я когда-либо знал, — сосна с ветвями, образующими винтовую лестницу до самой верхушки; их было так много, что почти не оставалось шансов упасть. Нужно было только достать до первых толстых ветвей, которые начинались на высоте шести футов, остальное не составляло труда.

О чем они все-таки могли разговаривать? Почему они не хотели, чтобы я это слышал?

Прыжок с разбега. Теннисные туфли цепляются за кору, проскальзывают и вновь цепляются. Еще один рывок, и первая ветка достигнута. Я скрылся в толстых ветвях, взбираясь уверенно и решительно.

Что бы они ни обсуждали, это явно что-то нехорошее, и уж вовсе не какой-нибудь приятный сюрприз для меня. Иначе они бы просто прекратили говорить об этом или сменили тему разговора, когда я вошел, — заговорили бы о работе или Библии.

Ближе к вершине ветви становились тоньше, и в просветах между ними виднелись крыши домов. Самый замечательный вид открывался с верхушки дерева, но ветки и сам ствол были там такими тонкими, что легко начинали раскачиваться.

Я прекратил подъем недалеко от вершины, пока это еще не стало безрассудством. Мне нужно было подумать, а это место было самым уединенным из всех, которые я знал.

Мама всегда спрашивала меня, как там школа, подумал я, и что нового я сегодня узнал? Я хотел сказать ей, что сегодня мы проходили Закон Среднего, и спросить, что она об этом знает, но она неожиданно ничего не спросила. И почему папа дома в это время? Кто-нибудь умер? Что может быть не так?

Единственным умершим человеком из тех, кого я знал, была моя бабушка, но, когда это произошло, мне сказали. Я видел ее лишь однажды — строгую и седовласую, едва ли выше меня ростом, и совсем не плакал, когда узнал, что она умерла. Ни мама, ни, конечно, папа, тоже не плакали.

Никто не умер, иначе мне бы сказали.

В четверти мили отсюда за верхушками деревьев скрывался мой дом, но я все же мог различить часть крыши над кухней. Ничего сложного: в Лейквуд-Виллидж все дома, кроме нашего, имели наклонные крыши, наша же крыша была плоской.

Что там все-таки происходит?

Легкий порыв ветра качнул дерево, и я обхватил ствол обеими руками.

Это должно касаться меня, подумал я, иначе почему так важно было меня выпроводить? Это было что-то, связанное со мной, и вряд ли хорошее.

Этого не может быть. Даже когда меня вызывает директор школы, это всегда оказывается что-нибудь хорошее: поздравления по поводу выбора меня старостой пожарников, предложение поработать в школьном комитете, сообщение, что на экзамене штата я набрал наибольшее количество баллов, не считая моего брата.

Сумерки застали меня сидящим на дереве, словно встревоженный енот. Я все еще блуждал во тьме своих предположений, однако решил ни о чем не спрашивать, как бы мне этого ни хотелось. Пусть они сами обо всем мне расскажут, когда решат, что пришло время. Я бессилен. Я ничего не могу сделать. Это что-то большое, что-то, чего я не должен знать, вот и все.

Я спустился вниз и пошел домой, втирая пятна сосновой смолы в джинсы.

Когда я толкнул дверь на кухню, отца там уже не было, мама готовила ужин. Не просто ужин, потому что в этот момент она как раз ставила в духовку торт со взбитыми сливками.

— Привет, Дикки, — сказала она обычным тоном. — Что сегодня проходили в школе?

— Да ничего, — ответил я ей в тон, уступая ее настроению.

Бобби стал чаще пропускать уроки, и эти закрытые собрания время от времени случались опять.

Один в нашей с ним комнате, иногда я различал сквозь стену негромкие голоса: в основном, отцовский, иногда — мамин, и, очень редко, голос Бобби, такой тихий, что я даже не был уверен, что это он.

Однажды перед сном, когда он взбирался по лестнице на верхнюю койку, я не выдержал.

— Что происходит, Бобби? — спросил я. — О чем вы с мамой и папой разговариваете? Это касается меня?

Он не посмотрел на меня, перегнувшись через край своей койки, как он это обычно делал.

— Это секрет, — сказал он. — Ты тут ни при чем, и тебе не нужно ничего знать.

Почти всегда мы с Бобби могли поговорить откровенно, но не сейчас. По крайней мере, они не собираются прийти за мной однажды ночью, бросить меня, связанного, в грузовик и отвезти черт знает куда. А может, Бобби меня обманывает, и все именно так и произойдет. Но если он не хочет говорить, то и не скажет.

На следующий день на столе в нашей комнате я обнаружил сумку из мягкой кожи размером с пиратский мешок для денег. До этого я никогда ее не видел...

Когда я ослабил ремешки и открыл ее, внутри я увидел не золото, а идола. Прекрасно сделанный из полированного черного дерева, он являл собой фигуру смеющегося Будды с руками над головой, ладони вверх, кончики пальцев почти касаются. Какого черта...

Шаги. Бобби идет! Я запихнул Будду обратно в сумку, затянул ремни, бросился на кровать и раскрыл книгу Уилли Лэя — «Ракеты и космические путешествия».

— Привет, Бобби, — на мгновение поднял глаза, когда он вошел, и снова вернулся к книге.

— Привет.

Я читал в тот момент так внимательно, что по сей день помню тот абзац: «...твердотопливные ракетные двигатели набиваются порохом не полностью, а только в объеме вокруг конической камеры сгорания. Чем больше область горения, тем больше тяга двигателя». Я представил, как при слишком большой области горения ракета взрывается — БУМ! — как динамит.

— Пока, — сказал Бобби, и вышел, захватив пальто и кожаную сумку, чтобы отправиться куда-то вместе с отцом на машине.

Две недели спустя отец отвез Бобби, выглядевшего усталым, в больницу, ничего серьезного.

Через неделю, без всяких прощаний, мой брат умер.

Вот в чем заключалась тайна, подумал я, девятилетний Холмс с Бейкер-стрит. И все эти долгие тихие беседы: все, кроме меня знали, что Бобби умирает! Так они хотели уберечь меня от боли.

Будда из черного дерева прикасался к ответам, а нашел ли их мой брат — этого мне никогда не узнать.

Он мог бы сказать мне, я бы не стал горевать. Я мог бы спросить, что ощущает умирающий, больно ли это? Куда ты отправишься, когда умрешь, Бобби, и можешь ли ты не умереть, если захочешь? Видишь ли ты ангелов во сне? Легко ли умирать? Боишься ли ты?

Насколько я знаю, мама не плакала, как и Рой, и уж, конечно, отец. Поэтому я тоже не плакал, во всяком случае — на виду у всех. Наша комната опустела, и там стало ужасно тихо, — вот и все, что изменилось.

«Лонг-Бич пресс телеграм» напечатала небольшой некролог, сообщавший, что Бобби опередил отца и мать, а также меня и Роя на скорбном пути. Я прикрепил вырезку из газеты к своей двери иглой от игрушечного самолета, гордясь тем, что наши имена были замечены и напечатаны в газете.

На следующий день вырезка исчезла; я нашел ее на своем столе текстом вниз. Я приколол ее снова, и на следующий день она вновь очутилась на столе. Я понял намек. Хоть мама и не плачет, но и газетные напоминания о том, что Бобби умер, ей тоже ни к чему.

✦

Однажды, когда она мыла тарелки, ставя их с нежным фарфоровым звоном в кухонный шкаф, я наконец услышал:

— У Бобби была лейкемия.

Я немедленно запомнил это слово.

— Это неизлечимо. Последние дни, Дик, он был так спокоен. Он был таким мудрым.

Слез не было, и она перестала называть меня Дикки.

— «Всему на свете свое время, мама, — сказал он мне. — Сейчас мне пришло время умереть. Пожалуйста, не расстраивайся и не горюй — я не боюсь смерти. Я бы не выдержал, если бы ты плакала».

Она смахнула слезинку, и наш разговор был закончен.

Я был счастливчиком, не иначе. Что может быть безопаснее, чем легко и удобно лететь за своим братом? Он — ведущий, я — ведомый.

Теперь же, вместо ровного полета и плавных поворотов впереди меня, Бобби врубил полную тягу, ушел вверх и скрылся в солнечном свете.

Я был в ужасе. Я всхлипывал ночью под одеялом, вопил в подушку. *Пожалуйста, Бобби, ну ПОЖАЛУЙСТА! Не оставляй меня здесь одного! Ты обещал показывать мне путь! Ты обещал! Не уходи! Я не знаю, как мне жить без моего брата!*

Слезами делу не поможешь, выяснил я. Чувства не могут изменить положение вещей. Значение имеет только знание, а мне предстояло узнать многое.

Я посмотрел в словаре статью «Смерть»: формальные фразы об очевидном.

Я прочитал энциклопедию: ответа нет.

Бобби казался таким безмятежным, подумал я, и совсем не испуганным, как если бы он принял решение встретить смерть с открытыми глазами, как если бы готовился к испытанию. Когда час пришел и дверь открылась, он расправил плечи и шагнул в нее, не оглядываясь, с высоко поднятой головой.

Молодец, брат, подумал я, спасибо, что показал мне путь.

Но знаешь, Бобби, есть кое-что еще. Я внезапно изменился, превратившись в настойчивого сукина сына, и будь я проклят, если умру, не узнав, зачем я жил.

Мальчик, плачущий от ужаса после смерти брата, — в тот день я от него освободился, оставил его там в одиночестве и продолжал жить уже без него.

Двадцать четыре

Дикки взял надгробие из моих рук.

— Скажи мне еще раз, — сказал он. — Что значит *смысл*?

Я, моргая, уставился на него. Только что я вновь пережил один из самых мучительных моментов моей жизни, пережил, благодаря ему, всю эту боль до конца. И вот теперь он вдруг превращается в какого-то холодного незнакомца?

Он ответил на мои мысли.

— Почему бы и нет? Ты поступил со мной так же.

— Значит, мы квиты, — сказал я.

— Ты знаешь ответ. Что значит *смысл*?

Я принял бесстрастный тон (что нетрудно, если есть надлежащая практика) и сказал ему:

— По-моему, смысл — это все то, что способно изменить наши мысли, а вместе с ними — и нашу жизнь.

— Что значила для тебя смерть Бобби?

Он затолкал надгробие обратно в грязь, откуда его достал. Стоило ему убрать руку, как оно упало.

— Как она изменила твою жизнь?

— До сегодняшнего дня я никогда об этом не думал. Просто засунул в дальний угол и забыл.

Он снова попытался поставить надгробие вертикально и, когда оно упало еще раз, оставил его лежать.

— Что она значила?

В тот момент, когда он спросил, я внезапно понял. Вытащить эту спрятанную часть памяти на свет было все равно что вытащить из кучи дров самое нижнее полено, на котором она вся держалась.

5 – 4585

— Смерть Бобби заставила меня впервые в жизни столкнуться с *самостоятельностью*. Теперь, полвека спустя, мне кажется, что всю жизнь я рассчитывал только на себя, но это не так. Когда я был тобой, Бобби пообещал, что будет первым делать все открытия, первым принимать на себя все удары, приготовленные жизнью. Он хотел смягчить и объяснить их мне, чтобы мой путь стал легче, уже проложенный им через неосвоенные земли. Все, что мне оставалось, — это следовать за братом, и все было бы хорошо.

Он молча сел в траву, а я шагал перед ним туда-сюда, словно гончая на привязи.

— В тот день изменилось все. Когда Бобби умер, его брату, до этого — пассажиру фургона, пришлось быстро выбираться наружу и научиться самому быть разведчиком-первопроходцем.

Я летел над своим прошлым с предельной скоростью, глядя вниз.

— Все, что я узнал, Дикки, начиная с того момента, показало мне, что каждому из нас дана сила делать выбор, сила изменять свою судьбу. Все, что произошло позднее: Рой ушел в армию, отец оставался таким же сдержанным, мама ударилась в политику, я научился летать, — все словно говорило: верь в себя, никогда не рассчитывай, что кто-то другой покажет тебе путь или сделает тебя счастливым.

Он смотрел вдаль.

— Мама и отец так не считают.

— Правильно. Их мнение противоположно. Мама — миссионер, работник социальной службы, политик; отец — священник, капеллан, сотрудник Красного Креста. Они учили Жить для Других, и, Дикки, они были неправы!

Он окаменел.

— Не смей говорить, что мама неправа, — сказал он. — Ты можешь сказать, что она думает иначе, но никогда не смей говорить, что мама неправа!

Как сильно я любил свою мать и сколь слабым оказалось ее влияние на меня! Жить для других, мама, — это лучший способ уязвить тех, кому хочешь помочь. Таскай в гору их фургоны — и закончишь с разбитым сердцем. Ты защитила меня от смерти Бобби, уберегла меня от моих же чувств так, что я встретился с ними только сейчас, полвека спустя. Как ты могла так ошибаться, и почему я все еще тебя люблю?

— Я рад, что она не сказала мне, что Бобби собирается умереть, — сказал я. — Мне даже не хватает воображения представить, кем я мог бы стать, если бы она это сделала.

— Миссионером? — сказал он.

— Я — миссионером? Это невозможно. Хотя — скорее всего.

— А ты мог бы сейчас им стать? — сказал он, как будто надеясь посмертно утешить мою мать.

Я громко засмеялся.

— Для меня священник — это тот, кто убил Бога, Дикки! Ты разве не помнишь?

— Нет.

Конечно, подумал я. Он у нас — Хранитель Забытого, а я это помню как сейчас.

— После смерти Бобби, — сказал я, — у меня появились простые детские вопросы о жизни, которые привели к разрушению Бога-Который-Был-Мне-Известен и к первой встрече с моей собственной истиной.

Дикки не мог представить, что я помню хоть что-то значительное из своего детства.

— Какой священник? Что произошло?

— Я сейчас покажу тебе, что произошло, — сказал я. — Когда я стою здесь, я — это я. Когда я стою там, я — Внутренний Священник. Ладно?

Он улыбнулся, предвкушая мою беготню вверх-вниз по холму.

— Бог всемогущ? — спросил я, маленький мальчик, у мудрого взрослого.

Я шагнул вперед и повернулся, чтобы взглянуть сверху вниз на ребенка. Теперь я был жизнерадостным священником в темно-зеленой рясе с эмблемой фирмы на цепи вокруг моей шеи.

— Конечно! Иначе он бы не был Богом, не правда ли, сынок?

— Бог нас любит?

— Как ты можешь спрашивать? Бог любит каждого из нас!

— Почему хорошие люди, которых любит Бог, гибнут в войнах и насилии, бессмысленных убийствах и глупых катастрофах, почему страдают и умирают невинные умные дети, почему умер мой брат?

А теперь осторожно с голосом: нужно скрыть неуверенность.

— Некоторые вещи недоступны пониманию, дитя мое. Отец наш небесный посылает величайшие беды тем, кого любит больше других. Он должен быть уверен, что ты любишь Его сильнее, чем своего смертного брата... Верь и доверяй Всемогущему Богу...

— ДА ВЫ ЧТО, ВКОНЕЦ СВИХНУЛИСЬ? СЧИТАЕТЕ МЕНЯ ДЕВЯТИЛЕТНИМ ИДИОТОМ? ЛИБО ПРИЗНАЙТЕ, ЧТО БОГ НЕ БОЛЕЕ ВСЕМОГУЩ, ЧЕМ Я САМ, И БЕССИЛЕН ПРОТИВ ЗЛА, КАК МЛАДЕНЕЦ, ЛИБО ПРИЗНАЙТЕ, ЧТО ЛЮБОВЬ В ЕГО ПОНИМАНИИ — ЭТО САДИСТСКАЯ НЕНАВИСТЬ ВЕЛИЧАЙШЕГО МАССОВОГО УБИЙЦЫ, КОГДАЛИБО БРАВШЕГОСЯ ЗА ТОПОР!

— О'кей, — говорит падре с внезапной прямотой. — Я ошибаюсь, ты — прав. Я предлагал тебе все удобства веры. Подобно многим другим детям, ты только что разрушил устои официальной религии, мистер Правдоискатель. Ты знаешь, что ни я, ни любой другой священник не сможем ответить на эти вопросы. Теперь тебе придется строить свою собственную религию.

— Зачем? — говорю я. — Мне не нужна религия. Я обойдусь и без нее.

— И оставишь тайну нашего пребывания здесь неразрешенной?

— Оставить ее неразрешенной, — обратился я уже к Дикки, — означало бы признать, что есть нечто, до чего я не в силах додуматься. А я был уверен, что, если я достаточно сильно захочу, не останется ничего, что было бы недоступно моему пониманию. Для неофитов это стало бы первым принципом моей религии.

Я вернулся к своему небольшому представлению.

— Это нетрудно, — говорю я. — Любой ребенок может предложить что-нибудь получше, чем мир в виде бойни и Бог с ножами в руках.

— За это придется платить, — предупреждает священник. — Создай свою теологию, и станешь непохожим на всех остальных...

— Так это не цена, — насмехаюсь я, — а награда! Кроме того, никто ведь на самом деле не верит в Бессильного Бога или Бога-Убийцу? Это будет легко.

Мой внутренний падре снисходительно улыбается в ответ и исчезает.

Дикки наблюдал, поглощенный моим лицедейством.

— Как только он исчезает, — сказал я, — я начинаю нервничать. Не был ли я чересчур несдержанным и эмоциональным во время этой вспышки? В течение следующих десяти лет, осторожно и спокойно, я вновь собрал все воедино, без всяких курсивов и восклицательных знаков. Понадобилось действительно очень много времени, но основание было заложено. Благодаря моему брату я вновь создал Бога. Теперь я хочу, Дикки, чтобы ты показал мне, в чем я неправ.

Он кивнул, изъявляя желание стать частичным творцом самодельной религии.

— Представь себе, что существует некий Всемогущий Бог, который видит смертных и их заботы на Земле, — медленно произнес я.

Он кивнул.

— Тогда, Дикки, Бог должен нести ответственность за все катастрофы, трагедии, насилие и смерть, осаждающие человечество.

Он протестующе поднял руку.

— Бог не может нести ответственность только потому, что Он все это видит.

— Подумай хорошенько. Он *всемогущ*, то есть имеет власть остановить зло, если Он этого захочет. Но Он решает не делать этого. Позволяя злу существовать, Он тем самым становится его причиной.

Он задумался над этим.

— Может быть, — сказал он осторожно.

— Тогда, по определению, раз невинные люди продолжают страдать и умирать, всемогущий Бог не просто равнодушен. Он неописуемо жесток.

Дикки вновь поднял руку, теперь уже прося времени на размышление.

— Может быть...

— Ты не уверен, — сказал я.

— Все это звучит странно, но я не могу найти ошибки.

— И я тоже. Меняется ли для тебя мир при мысли о злом и жестоком Боге так же, как он меняется для меня?

— Продолжай, — сказал он.

— Дальше. Представь, что существует некий Вселюбящий Бог, который видит нужды и бедствия всех смертных.

— Это уже лучше.

Я кивнул.

— Тогда этот Бог должен скорбно созерцать угнетение и убийства невинных, гибнущих миллионами, в то время как они тщетно, век за веком, молят Его о помощи.

Он поднял руку.

— Сейчас ты скажешь, что раз невинные люди страдают и гибнут, то наш вселюбящий Бог не в силах нам помочь.

— Совершенно верно! Скажи, когда будешь готов к вопросу.

Он на минуту задумался над тем, о чем мы говорили. Затем кивнул.

— О'кей. Я готов к твоему вопросу.

— Какой Бог реален, Дикки? — спросил я. — Жестокий или бессильный?

Двадцать пять

Теперь он задумался уже надолго, потом засмеялся и тряхнул головой.

— Это не выбор! Я имею в виду: если приходится выбирать между Жестоким или Бессильным Богом, тогда зачем Он вообще нужен?

Глядя на него, я видел самого себя, каким я был много лет назад, решая ту же задачу.

— Выбора нет, — сказал я, — потому что ни один из них не существует.

— В самом начале, — сказал он, — не было ли какой-нибудь ошибки в вопросе?

Был ли я в его возрасте таким наблюдательным?

— Хорошо! Нереальным этот выбор становится благодаря ситуации: «Представь, что существует Бог, *видящий все беды Земли*». Смотри на это с любой стороны — а я занимался этим многие годы, — но в тот момент, когда представляешь, как Бог видит все беды и оставляет нас в беде, выбора между Жестоким и Бессильным не избежать.

— Что же получается? — сказал он. — Бога нет?

— Если принять, что пространство-время реально, что оно всегда было и всегда будет, тогда либо Бога не существует вообще, либо приходится выбирать между двумя богами.

— А если не принимать, что пространство-время реально?

Я поднял с земли камешек и почти горизонтально бросил вдоль склона холма. Я вспомнил время, когда я сам решил не принимать этого, просто ради интереса.

— Не знаю, — сказал я.

— Ну перестань! — Он вырвал пучок травы вместе с землей и швырнул, без всякой цели. — Ты ведь знаешь!

— Подумай об этом, а обсудим в следующий раз.

— Не вздумай сейчас уйти, Ричард! ГДЕ МОЙ ОГНЕМЕТ?!

— А знаешь, Дикки, это был бы прекрасный холм для прыжков с парапланом. Ветер здесь обычно с юга?

— Здесь не бывает ветра, пока я не прикажу, — сказал он. — А сейчас, когда ты только что убил Бога, я приказываю тебе Его воскресить, иначе обещаю, что ты не уснешь!

— О'кей. Но я не могу его воскресить, потому что Он — это не Он.

— Он — это Она?

— Она — это Бытие, — сказал я.

— Начинаем, — сказал он, освобождая мне нашу сцену.

— О'кей. Я отказываюсь признавать Бога, беспомощного или равнодушного ко злу. Но я не отказываюсь признать всемогущую вселюбящую реальность.

— То есть ты возвращаешься к тому, с чего начал.

— Нет. Слушай. Это просто. — Я начертил в воздухе прямоугольник. — Это дверь, на которой написаны два слова: «Жизнь Есть». Если ты войдешь в нее, то увидишь мир, для которого это высказывание справедливо.

— Я не обязан верить, что Жизнь Есть, — сказал он, полный решимости не попасться вновь на мои предположения.

— Нет, не обязан. Если ты в это не веришь, или веришь, что *Жизни Нет,* или что *Жизнь Иногда Есть Иногда Нет*, или *Смерть Есть,* тогда мир должен быть просто таким, каким он кажется, — о цели и смысле можно забыть. Мы все — сами по себе, одни рождены под счастливой звездой, другие страдают всю жизнь, пока не умрут, и неважно, кто есть кто. Желаю удачи.

Я подождал, пока он постучал в те двери, открыл их и успел утратить интерес к тому, что за ними находилось.

— Довольно скучно, — сказал он и пригнулся, готовый к прыжку. — О'кей. Допустим, Жизнь Есть.

— Ты уверен?

— Я готов попробовать...

— Помни, что на двери написано *Жизнь Есть*, — сказал я. — Это не шутка. Если хочешь, на ней есть еще одна надпись, невидимая: *НЕ Имеет Значения, Если Вам Покажется, Что Это Не Так.*

— Жизнь Есть.

— ХА, ДИККИ! — издал я самурайский клич, и кривой меч блеснул в моей руке. — ЗДЕСЬ, В ГРОБУ, ЛЕЖИТ ТЕЛО ТВОЕГО БРАТА! ТАК СМЕРТИ НЕ СУЩЕСТВУЕТ?

— Жизнь Есть, — сказал он с верой. — *НЕ Имеет Значения, Если Мне Кажется, Что Это Не Так.*

Я накинул черный балахон, спрятал лицо под капюшоном, встал на цыпочки и глухим зловещим голосом произнес:

— Я — Смерть, мальчик, и я приду за тобой, когда настанет время, и ничто не может меня победить...

Я могу быть довольно зловещим: когда-то немножко упражнялся.

Он все еще цеплялся за истину, которую испытывал.

— Жизнь Есть, — сказал он. — *И НЕ Имеет Значения, Если Вам Покажется, Что Это Не Так.*

— Эй, парень, — сказал я, переодевшись в свою желтую спортивную куртку. — Ничего страшного. Ты же не думаешь, что твои туфли вечны, или вечна твоя машина, или твоя жизнь? Здравый смысл — все изнашивается!

— Жизнь Есть, — сказал он. — *НЕ Имеет Значения, Если Вам Покажется, Что Это Не Так.*

Переодевшись самим собой, я сказал:

— Образы изменчивы.

— Жизнь Есть, — ответил он.

— Это легко говорить, когда у тебя все в порядке и ты счастлив, Капитан, — сказал я. — А что бы ты сказал, если бы истекал кровью, или был тяжело болен, или переживал, что тебя бросила девушка, что жена тебя не понимает, что ты потерял работу, что жизнь кончена и ты оказался на самом ее дне?

— Жизнь Есть.

— Есть ли ей дело до образов, до иллюзий?

Он задумался на мгновение. Каждый вопрос мог содержать подвох.

— Нет.

— Знает ли Она об их существовании?

Долгое молчание.

— Подскажи.

— Знает ли свет о темноте? — спросил я.

— Нет!

— Если Жизнь Есть, значит ли это, что Она знает только саму себя?

— Да?

— Не пытайся гадать.

— Да!

— Знает ли Она о звездах?

—...нет.

— Знает ли Она начало и конец? — спросил я. — Пространство и время?

— Жизнь Есть. Во веки веков. Нет.

Почему простые вещи так сложны, подумал я. Есть означает *Есть*. Не Была, или Будет, или Была Когда-то, или Могла И Не Быть, или Могла Бы Появиться Завтра. *Есть*.

— Знает ли Жизнь Дикки Баха?

Долгое молчание.

— Она не знает мое тело.

Теплее, подумал я.

— Знает ли Она... твой адрес?

Он засмеялся.

— Нет!

— Знает ли Она... твою планету?

— Нет.

— Знает ли Она... твое имя?

— Нет.

Как анкета.

— Знает ли Жизнь тебя?

— Она знает... мою жизнь, — сказал он. — Она знает мою душу.

— Ты уверен?

— Мне неважно, что ты говоришь. Жизнь знает мою жизнь.

— Можно уничтожить твое тело? — спросил я.

— Конечно, можно, Ричард.

— Можно ли уничтожить твою жизнь?

— Невозможно! — ответил он, удивленный.

— Да что ты, Дикки. Говоришь, тебя невозможно убить?

— Убить что? Любой может убить мой образ. Никто не может забрать мою жизнь. — Он задумался на миг. — Никто, если Жизнь Есть.

— Ну вот, — сказал я.

— Что «Ну вот»? — спросил он.

— Урок закончен. Ты только что вернул Бога к жизни.

— Всемогущего Бога? — спросил он.

— Жизнь всемогуща? — спросил я.

— В своем мире. В Реальном мире *Жизнь Есть*. Ничто не может уничтожить Жизнь.

— А в мире образов?

— Образы — это образы, — сказал он. — Ничто не может уничтожить Жизнь.

— Любит ли тебя Жизнь?

— Жизнь знает меня. Я неуничтожим. И я хороший человек.

— А если нет? Если Жизнь не видит образов, если Она не знает о пространстве и времени, если Жизнь видит только Жизнь и не знает Условий, может ли Она видеть, какой ты человек — хороший или плохой?

— Жизнь видит меня совершенным?

— Что ты думаешь? — сказал я. — Не это ли ты называешь любовью? Я жду замечаний.

Он долго молчал, прищурив глаза и закинув голову.

— Что здесь не так? — спросил я.

Какое-то время он смотрел на меня так, как будто в его руке был детонатор, способный разнести на куски мою прекрасную систему, на создание которой ушла вся моя жизнь. Но я не был его единственным будущим, у него впереди была своя жизнь, а прожить с идеями, в которые не веришь, невозможно.

— Скажи мне, — попросил я, ощущая биение своего сердца.

— Пойми меня правильно, — сказал он. — Я хочу сказать, что логически твоя религия, так, как ты ее изложил, может быть истинной. — Он мгновение подумал. — Но...

— Но...?

— Но какое она может иметь значение для меня как для Образа Человеческого Существа здесь, на Образе Земли? Твое «Есть» прекрасно, — сказал он, — *ну и что*?

Двадцать шесть

Я рассмеялся в наступившей тишине. Сколько тысяч раз я вдруг начинал чувствовать зависимость от того, что может подумать или решить другой человек. Как будто мой внутренний корабль дал течь ниже ватерлинии и беспокойное напряжение заливает его, увлекая все глубже в воду, непонятным для меня образом лишая меня подвижности и легкости.

— Разве тебе никогда не приходило в голову это «Ну и что?», — сказал Дикки. — Ты должен был об этом подумать.

Я наклонился, поднял камень и с силой швырнул его с холма. При достаточном начальном толчке, подумал я, летать может практически все.

— Ты послал Шепарда, — сказал я, — потому что хотел узнать все, что знаю я.

— Я его не посылал...

Я поднял еще один камешек, продолжая свое безмолвное исследование аэродинамики камней.

— Да, — сказал он. — Я должен был узнать то, что знаешь ты. Я и сейчас этого хочу. Прости, если я задел тебя своим «Ну и что?».

Я выбрал молчание, чтобы не навязывать ему свой образ мыслей, он же решил, что меня задел его справедливый вопрос. Как тяжело людям понимать друг друга, пока они еще не достигли согласия!

— Помоги мне с этим, — сказал я. — Я хочу показать тебе все, чему научился. Я поделюсь с тобой, не требуя ничего взамен, потому что ты собираешься использовать эти знания иначе, чем это сделал я, и найдешь способ потом мне рассказать, как именно ты их использовал и почему. Я хочу, чтобы это произошло. Ты мне веришь?

Он кивнул.

— Но я также знаю кое-что еще: Никогда Никого Не Убеждай. Когда ты сказал «Ну и что?», во мне зажглась эта розовая неоновая надпись: Докажи Ему Свои Истины, Иначе Он Не Поверит В То, Что Ты Говоришь.

— Нет, — сказал он. — Это не то, что...

— Я не стараюсь рассказать и объяснить тебе все так же ясно, как знаю это сам, но запомни, что я не могу принять на себя ответственность ни за кого, кто мне неподвластен, то есть ни за кого, кроме себя.

— Но я...

— Полагаться на других людей в поисках истины — все равно что полагаться на врачей в поисках здоровья, Дикки. Пользу мы получаем только в том случае, когда они оказываются на месте и правы, когда же они отсутствуют или ошибаются, у нас не остается шансов. Но если мы вместо этого всю свою жизнь учимся понимать то, что мы знаем, наше внутреннее знание всегда будет с нами, и, даже когда оно ошибается, мы можем изменить его, и в конце концов сделать его практически безошибочным.

— Ричард, я...

— Запомни, Капитан: причина, по которой я здесь, — вовсе не стремление переубедить тебя, или обратить в свою веру, или превратить тебя в меня. Я и так потратил немало сил на то, чтобы сделать Ричарда собой. Я — лидер только для самого себя. И, честно говоря, я бы чувствовал себя лучше, если бы ты перестал интересоваться мной, моими убеждениями и тем, почему я отличаюсь от других вариантов твоего будущего. Я должен тебе информацию, и я удовлетворяю твое любопытство. Я не обязан обращать тебя в свою веру, которая вполне может оказаться ложной.

В обмен на мою проповедь я получил долгое молчание. Честная сделка, подумал я, но ничего не сказал.

Он вздохнул.

— Я понимаю, что ты для меня не лидер, — сказал он, — и что ты не отвечаешь за то, что я совершу или не совершу до конца своей физической жизни или жизней в течение всей вечности. Я обязуюсь оградить тебя от всякого рода ущерба, реального или воображаемого, который может быть причинен правильным или неправильным использованием любого произнесенного тобой слова в любой ситуации в любом из вариантов будущего, который я могу избрать. Ясно?

Я отрицательно покачал головой.

— Что значит нет? До тебя что, не доходит? Я НЕ СЧИТАЮ ТЕБЯ СВОИМ ЛИДЕРОМ, ИЛИ ПРОВОДНИКОМ, ИЛИ УЧИТЕЛЕМ, НЕЗАВИСИМО ОТ ТОГО...

— Так не пойдет, — сказал я, — представь все в письменном виде.

На его лице отразилось удивление.

— Что? Я сообщаю тебе, что понимаю твое нежелание быть чьим-либо лидером, а ты отвечаешь, что так не пойдет?

Я протянул ему красивый гладкий камешек для броска.

— Я пошутил, — сказал я. — Просто раззадориваю тебя, Дикки. Я хочу быть уверен, что ты все понял, и не нужно мне никаких письменных обязательств.

Он не бросил камешек, а изучал его в своей руке.

— О'кей, — сказал он наконец. — Насчет «Жизнь Есть». Ну и что?

— Что ты знаешь об арифметике? — спросил я.

— Что знает об арифметике любой четвероклассник? — ответил он, понимая, что я опять к чему-то веду, и надеясь, что я не издеваюсь над ним снова. — Я знаю столько же, сколько любой другой.

— Это уже неплохо, — сказал я. — Я думаю, что Жизнь проявляется в Образах так же, как числа проявляются в пространстве-времени. Возьмем, к примеру, число девять. Или тебе больше нравится какое-нибудь другое число?

— Восемь, — сказал он, на случай, если девятка вдруг окажется моим трюком.

— Хорошо, возьмем число восемь. Мы можем написать его чернилами на бумаге, можем отлить его в бронзе, вырубить в камне, собрать в ряд восемь одуванчиков, осторожно поставить один на другой восемь додекаэдров. Сколько существует способов выразить идею восьми?

Он пожал плечами. — Миллиарды. Бесконечное число.

— Но смотри, — сказал я. — Вот факел и вот молот. Мы также можем сжечь бумагу, расплавить бронзу, обратить камень в пыль, сдуть одуванчики, разбить додекаэдры на мелкие кусочки.

— Я понял. Мы можем уничтожить числа.

— Нет. Мы можем уничтожить только их *образы* в пространстве-времени. Мы можем создавать и уничтожать только образы.

Он кивнул.

— Но до начала времен, Дикки, как и в эту минуту, и тогда, когда время и пространство уже исчезнут, идея восьми существует, неподвластная образам. Когда произойдет второй Большой Взрыв и все будет разнесено на мельчайшие частицы, идея восьми будет так же спокойно и безразлично витать в пустоте.

— Безразлично?

— Вот тебе топор, — сказал я. — Разруби идею восьми так, чтобы она перестала существовать. Время не ограничено. Позови меня, когда закончишь.

Он засмеялся.

— Я же не могу рубить идеи, Ричард!

— И я тоже.

— Выходит, мое тело выражает мою истинную суть не лучше, чем написанное число выражает идею восьми.

Я кивнул.

— По-моему, ты слишком меня опережаешь. Не торопись.

Он замолчал.

— Какие еще есть числа? — спросил я, заинтересовавшись на миг, хочу ли я, чтобы он верил моим картинкам.

Мне все равно, верит он или нет, подумал я. Я хочу только, чтобы он понял.

— Семь?

— Сколько чисел восемь существует в арифметике?

Он секунду подумал.

— Одно.

— Вот именно. Идея каждого числа уникальна, другой такой же идеи не существует. Весь Принцип Чисел основывается на этой восьмерке, без которой он бы тотчас распался.

— Да ладно...

— Ты думаешь иначе? Хорошо, допустим, нам удалось уничтожить число восемь. А теперь быстро: сколько будет четыре плюс четыре? Шесть плюс два? Десять минус два?

— Ох, — сказал он.

— Наконец до тебя дошло. Бесконечное количество чисел, и каждое из них отлично от всех остальных, каждое так же важно для Принципа, как Принцип важен для него.

— Принцип нуждается в каждом из чисел! — сказал он. — Я никогда об этом не думал.

— У тебя все впереди, — сказал я. — Реальная, неразрушимая жизнь вне образов — и в то же время любое число может быть по желанию выражено в любом из бесчисленных иллюзорных миров.

— Каким образом мы меняемся? — спросил он. — Откуда приходит вера? Каким образом мы в одночасье забываем все истинное и превращаемся в бессловесных младенцев?

Я закусил губу.

— Не знаю.

— Что? Ты создал картинку, в которой не хватает одного фрагмента?

— Я знаю, мы вольны верить в любой тип пространства жизни, — сказал я. — Я знаю, что мы можем сделать ее занятным уроком и приобрести силу вспомнить, кто мы есть. Как мы забываем? *Добро пожаловать в пространство-время, при входе проверьте память*? Происходит что-то непонятное, стирающее нашу память во время прыжка из одного мира в другой.

Он улыбнулся при виде моей озадаченности — странная улыбка, которую я не понял, — и секунду спустя кивнул.

— Ладно, я могу обойтись без этой недостающей детали, — сказал он. — Что-то Происходит. Мы забываем. Поехали дальше.

— Как бы то ни было, попав в пространство-время, — сказал я, — мы вольны верить, что мы существуем независимо и сами по себе, и утверждать, что Принцип Чисел — нонсенс.

Он кивнул, собирая все вместе.

— Принцип не замечает пространства-времени, — сказал я, — потому что пространство-время не существует. Таким образом, Принцип не слышит ни страстной молитвы, ни злобных проклятий, и для него не существует таких вещей, как святотатство или ересь, или богохульство, или безбожие, или непочтительность, или отвращение. Принцип не строит храмов, не нанимает миссионеров и не затевает войн. Он не обращает внимания, когда символы его чисел распинают друг друга на крестах, рубят на куски и превращают в пепел.

— Ему все равно, — неохотно повторил он.

— Твоя мама о тебе заботится? — спросил я.

— Она меня любит!

— Знала ли она и волновалась ли она, что, когда ты последний раз играл в «воров и полицейских», тебя убивали по меньшей мере раз десять в час?

— Х-м-м.

— То же и с Принципом, — сказал я. — Он не замечает игр, которые так важны для нас. Можешь проверить. Повернись так, чтобы стоять спиной к Бесконечному Принципу Чисел, Бессмертной Реальности Числового Бытия.

Он переместился, немного повернувшись влево.

— Громко скажи: *Я ненавижу Принцип Чисел!*

— Я ненавижу Принцип Чисел, — произнес он без особой убежденности.

— Теперь попробуй так, — сказал я. — *Мерзкий глупый Принцип Чисел ест искусственный сахар, рафинированное масло и красное мясо!*

Он засмеялся.

— А вот с этим осторожнее, Капитан. Нам нужно набраться смелости, чтобы выкрикнуть это, иначе, если мы окажемся неправы, нас могут изжарить живьем: *ГНИЛОЙ ЛЖИВЫЙ НИКОМУ НЕ НУЖНЫЙ... МЕРЗКИЙ ТАК НАЗЫВАЕМЫЙ ПРИНЦИП ЧИСЕЛ ГЛУПЕЕ НАВОЗНОЙ МУХИ! ОН ДАЖЕ НЕ В СОСТОЯНИИ ПОРАЗИТЬ НАС МОЛНИЕЙ В ДОКАЗАТЕЛЬСТВО СВОЕГО ВШИВОГО СУЩЕСТВОВАНИЯ!*

Он сбился на слове «мерзкий» и дальше все выдумал сам, но закончил довольно энергичной бранью, которой Принципу вполне хватило бы, чтобы нас поджарить, если бы ему было до этого дело.

Ничего не случилось.

— Значит, мы можем игнорировать Принцип, можем его ненавидеть, бранить, восставать против него, — сказал я, — и даже издеваться над ним. В ответ — ни малейшего признака Грома Небесного. В чем же дело?

Он надолго задумался над этим.

— Почему Принцип проявляет безразличие? — спросил я.

— Потому что он не прислушивается, — сказал он наконец.

— То есть мы можем проклинать его безнаказанно?

— Да, — сказал он.

— Неправильно.

— Почему? Он ведь не слушает!

— Он не слушает, Дикки, — сказал я, — но слушаем мы! Когда мы поворачиваемся к нему спиной, что происходит с нашей арифметикой?

— Ничего не складывается?

— Ничего. Каждый раз ответы получаются разными, бизнес и наука гибнут в путанице. Стоить нам отбросить Принцип, как от этого начинаем страдать мы сами, вовсе не Он.

— Веселенькие дела!* — сказал он.

— Но вернись к Принципу, и в тот же миг все заработает опять. Ему не нужна апология — Он бы ее не услышал, даже если бы мы кричали. Никому не посылается никаких испытаний, нет никакой кары, нет Грома Небесного. Возвращение к Принципу

* Англ. — *Holy cow.*

внезапно вносит порядок во все наши подсчеты, ибо даже в играх иллюзорного мира он сохраняет свою реальность.

— Интересно, — сказал он, не столько веря, сколько следя за ходом моей мысли.

— Наконец-то я тебя поймал, Дикки. Теперь давай вместо Принципа Чисел подставим Принцип Жизни.

— Жизнь Есть, — сказал он.

— Чистая жизнь, чистая любовь, знание своей чистой природы. Допустим, что каждый из нас — совершенное и уникальное выражение этого Принципа, что мы существуем вне пространства-времени, что мы бессмертны, вечны, неуничтожимы.

— Допустим. Что дальше?

— Значит, мы вольны делать все, что хотим, исключая две вещи: мы не можем создавать реальность и не можем ее уничтожить.

— А что мы можем делать?

— Чудесное Ничего во всех его драгоценных формах. Когда мы приходим в фирму «Жизнь Напрокат», что мы ожидаем получить? Мы можем перепробовать неограниченное число иллюзорных миров, можем арендовать рождения и смерти, трагедию и радость, мир, катастрофы, насилие, благородство, жестокость, рай, ад, можем взять домой убеждения и насладиться каждой их мучительной невыносимой радостной восхитительной микроскопической деталью. Но до начала времени и после его конца *Жизнь Есть* и *Мы Есть*. Единственное, что нас больше всего пугает, как раз и невозможно; мы не можем умереть, нас нельзя уничтожить. *Жизнь Есть. Мы Есть.*

— Мы Есть, — сказал он равнодушно. — Ну и что?

— Скажи мне сам, Дикки. В чем разница между жертвами обстоятельств, попавшими в жизни, о которых они не просили, и хозяевами выбора, способными изменять жизнь по своему желанию?

— Жертвы беспомощны, — сказал он. — Хозяева — нет.

Я кивнул.

— Вот тебе и «Ну и что?».

Двадцать семь

Он дал мне шанс высказаться, он задумался над этим, и мне пришло в голову, что на некоторое время стоит оставить его одного.

Я посмотрел на пейзаж, стараясь представить, как все это будет выглядеть, когда я вернусь сюда снова.

— До следующего раза, — прошептал я.

— А ты — хозяин? — спросил он.

— Конечно же, да! И я, и ты, и все остальные. Но мы забываем об этом.

— Как они это делают? — спросил он.

— Как кто делает что?

— Как хозяева изменяют свои жизни по желанию?

Этот вопрос заставил меня улыбнуться.

— Инструменты.

— Что?

— Еще одно различие между хозяевами и жертвами состоит в том, что жертвы не умеют пользоваться Инструментами, тогда как хозяева используют их постоянно.

— Электродрели? Бензопилы? — он тонул, явно нуждаясь в помощи.

Хороший учитель оставил бы его искать ответ самостоятельно, но я слишком болтлив, чтобы быть хорошим учителем.

— Нет. *Выбор*. Волшебный резец, при помощи которого жизнь обретает форму. Но если мы боимся выбрать что-нибудь иное, чем то, что уже имеем, какая от него польза? Можно с таким же успехом оставить его лежать завернутым в коробке, не читая инструкцию.

— Кто боится его применять? — спросил он. — Что в нем такого страшного?

— *Он делает нас другими*!

— Да ладно...

— Хорошо, откажись от выбора, — сказал я. — Всю жизнь делай только то, что делают другие. Как это будет выглядеть?

— Я иду в школу.

— Да. И?

— Я получаю образование.

— Да. И?

— Я устраиваюсь на работу.

— Да. И?

— Я женюсь.

— Да. И?

— У меня появляются дети.

— Да. И?

— Я помогаю им делать уроки.

— Да. И?

— Я выхожу на пенсию.

— Да. И?

— Я умираю.

— Подумай, какими будут твои последние слова.

Он подумал.

— «Ну и что?»

— Хоть ты и делаешь все, чего от тебя ожидают другие: ведешь себя, как подобает законопослушному гражданину, идеальному мужу и отцу, голосуешь на выборах, принимаешь участие в благотворительности, любишь животных. Ты живешь так, как от тебя требуют, и умираешь с вопросом «Ну и что?».

— Хм.

— Потому в твоей жизни не было выбора, Дикки! Ты никогда не хотел что-либо изменить, никогда не искал то, что на самом деле любил, поэтому никогда этого не имел, ты никогда не бросался очертя голову в мир, который значил для тебя больше всего, никогда не сражался с драконами, боясь, что они тебя съедят, никогда не взбирался по скалам, изо всех сил удерживаясь над тысячефутовой пропастью разрушения, потому что это была твоя жизнь и ты должен был ее сохранить! Выбор, Дикки! Выбери то, что любишь, и преследуй это на максимальной скорости, и я — твое будущее— обещаю, что ты никогда не умрешь со словами «*Ну и что?*»!

Он посмотрел на меня искоса.

— Ты что, пытаешься меня убедить?

— Я пытаюсь, — сказал я, — уберечь тебя от Плавания По Течению. Я в долгу перед тобой.

— Что из этого, если я научусь делать свой выбор, независимо от мнения других, и это приведет мой корабль на рифы. Спасет ли меня твой волшебный меч?

Я вздохнул.

— Дикки, когда это безопасность стала твоим основным стремлением? *Бегство от безопасности* — вот единственный способ превратить твои последние слова из «Ну и что?» в *ДА!*

— Старый платан, — сказал он.

— Что-что?

—...на переднем дворе. Он такой надежный и такой неизменный. Когда я чем-то напуган, я все готов отдать, чтобы стать этим деревом. Когда — нет, то мне кажется, что я никогда бы не вынес такой скучной жизни.

Он до сих пор растет на том же месте, подумал я, только теперь он гораздо больше, чем тот платан, который ты знаешь, — прошло ведь уже полвека, и все это время его корни уходили в землю глубже и глубже.

— Отказ от безопасности не означает саморазрушение, — сказал я. — Никто не садится в боевой самолет, вначале не научившись летать на учебном. Маленькие решения, незначительные приключения до того, как перейти к важным. Но в один прекрасный день ты обнаружишь себя в летящей с диким ревом на огромной скорости машине, земля встает в пятидесяти футах под тобой отвесным зеленым пятном, а на пилонах подвешено шесть ракет, и в тот момент ты вспомнишь: это мой выбор! Я построил эту жизнь! Я хотел ее больше всего на свете, я полз, я шел, я бежал к ней, и вот она *здесь*!

— Даже не знаю, — сказал он. — А мне придется рисковать жизнью?

— А как же! При каждом выборе ты рискуешь жизнью, в которой ты выбирал, при каждом решении ты с ней расстаешься. Естественно, альтернативный Дикки в альтернативном мире продолжает жить той жизнью, которую ты не выбирал, но это уже его выбор, а не твой. В школе, бизнесе, браке — если тебе небезразлично, какими будут твои последние слова, доверяй только тому, что знаешь сам, и смело иди к своей надежде.

— И если я ошибусь, — сказал он, — то я умру.

— Если ты ищешь безопасности, то ты ошибся ареной. Единственная безопасность — в словах *Жизнь Есть*, и только это имеет значение. Абсолютное, неизменное, совершенное. Но Безопасность среди Образов? Даже твой платан когда-нибудь обратится в пыль.

Он заскрежетал зубами, на лице — паника морщин.

Меня рассмешил его вид.

— Когда дерево рассыплется, исчезнет только символ, а не его душа. Разрушается только тело, а не тот, кто придал ему форму.

— Может быть, моей душе и нравятся перемены, — сказал он, — но мое тело их ненавидит.

Я вспомнил. Зимнее утро. Под одеялами так тепло и уютно, но вот в шесть тридцать раздается: «БОББИ! ДИККИ! ПОДЪЕМ! СОБИРАЙТЕСЬ В ШКОЛУ!», и я борюсь со сном, поклявшись, что, когда стану взрослым, никогда не буду вылезать из кровати раньше полудня. То же самое и в ВВС: вой сирены, проникающий сквозь мою подушку в два часа ночи, — ХОНГА-ХОНГА-ХОНГА — и я каким-то образом должен проснуться? и лететь? на самолете? в темноте?! Тело: Невозможно! Дух: Выполняй!

— Тело ненавидит перемены, — согласно кивнул я. — Но взгляни на свое тело — день ото дня оно становится немножко выше, немножко другим; Дикки, обреченный на взросление, превращается в Ричарда. Нет более полного разрушения тела, чем это превращение, Капитан. Не остается ни следов, ни гроба, ни даже пепла для оплакивания.

— Помоги мне, — сказал он. — Мне нужны все Инструменты, которые я могу получить.

— Они уже в твоих руках. Что ты можешь сказать любому из Образов?

— *Жизнь Есть.*

— И?

— И что? — спросил он.

Я подсказал.

— Выбор.

— И я могу менять Образы.

— В конкретных пределах?

— Пределы! — сказал он. — Если я захочу, то перестану дышать! Где же твои пределы?

Я пожал плечами.

— Когда Хозяевам не нравится положение вещей, Ричард, почему они просто не перестают дышать? Когда они сталкиваются с действительно серьезной проблемой, почему бы им просто не покинуть этот мир Образов и не отправиться домой?

— Зачем покидать мир, если можно его изменить? Заяви *Жизнь Есть* прямо в лицо образам, достань волшебный Выбор и после приличного интервала времени, заполненного твоим трудом, мир изменится.

— Всегда?

— Как правило.

Он выглядел раздосадованным.

— Как правило? Ты даешь мне магическую формулу, и вся твоя гарантия — в том, что *как правило*, она действует?

— Когда не действует она, есть Принцип Совпадений.

— Принцип совпадений, — повторил он.

— Допустим, ты делаешь некий жизнеутверждающий выбор в этом мире Образов. Ты решаешь, что эти изменения должны произойти.

Он кивнул.

— Ты провозглашаешь *Жизнь Есть*, зная, что это так, и стараешься изо всех сил изменить то, что задумал.

Он снова кивнул.

— Но ничего не меняется, — сказал я.

— Как раз об этом я и хотел спросить.

— Вот что ты делаешь: ты продолжаешь работать в ожидании некого совпадения. Нужно быть очень внимательным, потому что оно обычно появляется хорошо замаскированным.

Он кивнул.

— И потом ты следуешь за ним!

На лице Дикки ничего не отразилось.

— Хорошо бы какой-нибудь пример, — сказал он.

Пример.

— Мы хотим пройти сквозь эту кирпичную стену, потому что она ограничивает нашу жизнь миром Образов, а мы решили это изменить.

Он кивнул.

— Мы работаем как угорелые, чтобы добиться этих изменений, но наша стена по-прежнему остается кирпичной и становится все крепче и крепче. Мы уже проверили: нет ни потайных дверей, ни лестницы, ни лопаты, чтобы сделать подкоп... только твердый кирпич.

Он согласился.

— Твердый кирпич.

— Тогда нужно остановиться и прислушаться. Не доносится ли приглушенный звук какого-то двигателя позади нас? Не забыл ли оператор заглушить свой бульдозер, уходя на обед, и не включилась ли у того случайно первая скорость? И не ползет ли он по счастливому совпадению как раз в направлении нашей стены?

— Этот принцип когда-нибудь тебе помогал?

— Когда-нибудь? Да все основные события моей жизни так или иначе связаны с ним.

— О... — насмешливо произнес он. — Расскажи хотя бы об одном.

— Помнишь, как ты ездил в аэропорт на велосипеде и, вцепившись в сетку, висел на заборе с табличкой «Посторонним вход воспрещен»?

Он кивнул.

— Тысячу раз.

— И как мечтал о полетах, рисовал самолеты, строил их модели и писал о них в своих сочинениях, говоря себе, что однажды станешь летчиком?

Он широко раскрыл глаза. Старик все помнит.

— Полеты были кирпичной стеной, — сказал я. — Когда я хотел научиться летать, ничего не получалось. Не было ни денег заплатить за летное обучение, ни друзей с самолетами, ни сказочных фей, ни понимания в семье. Отец ненавидел самолеты. Я закончил школу и поступил в колледж. Кроме курсов химии, аналитической геометрии, ихтиологии и литературы, там был еще один курс, изменивший мою жизнь: стрельба из лука.

— Луки и стрелы?

— Каждый должен был посещать хоть один курс по физподготовке. Стрельба из лука была среди них самым легким.

Он кивнул.

— Однажды утром, в понедельник, наша группа из двадцати человек, как обычно, выстроилась в шеренгу перед мишенями. Рядом со мной случайно оказался старшекурсник, получавший уже чуть ли не самый последний зачет. Мы стояли рядом и пускали стрелы в соломенные мишени, когда случайно над нашими головами пролетел легкий самолет в направлении аэропорта Лонг-Бич. Вместо того чтобы выстрелить, Боб Кич опустил лук и смотрел вверх, на этот самолет. Один этот взгляд — и вся моя жизнь изменилась.

— Оттого, что он посмотрел вверх?

— В Лонг-Бич на самолеты не обращают внимания. Они там так же обычны, как ласточки над крышами. Этот парень, который поднял голову, чтобы взглянуть на самолет, должно быть, имел к ним какое-то отношение. Опережая судьбу и здравый смысл, я заговорил с ним: «Боб, могу спорить, что ты — летный инструктор и тебе нужен кто-то, кто будет мыть и полировать твой самолет в обмен на летные уроки».

— Он сказал «Да», — предположил Дикки.

— Нет. Он удивленно посмотрел на меня и сказал: *Откуда ты знаешь?*

— Да брось, — недоверчиво сказал Дикки. — Как такое могло случиться? Для этого не было причины.

— Причина на самом деле была. Боб Кич только что получил свой временный сертификат летного инструктора, а для того, чтобы получить полноценный, постоянный Сертификат Инструктора, ему нужно было обучить еще пять человек. Вот и причина.

— Но как ты узнал, что ему нужны ученики?

— Интуиция? Надежда? Везение, считал я тогда. За полгода Боб научил меня летать. Я бросил колледж, ушел в Военно-Воздушные Силы, и вся моя последующая жизнь оказалась связанной с небом. Принцип Совпадений устроил мою судьбу, но я догадался о его существовании только двадцать лет спустя.

— Как он действует?

— Подобное притягивает подобное. Ты будешь удивляться этому всю свою жизнь. Выбери любовь и работай, чтобы претворить ее в жизнь, и каким-то образом что-то произойдет — что-то, чего ты не планировал, придет, чтобы совместить подобное с подобным, дать тебе свободу и... направить тебя к твоей следующей кирпичной стене.

— Моя следующая стена! *СЛЕДУЮЩАЯ СТЕНА?!*

— Это не так уж страшно. Нам не нужно прилагать усилий, чтобы оказаться в наихудшем положении, которое только можно представить, — как только мы забываем наше волшебство, это происходит само по себе. Но вопрос не в том, как попасть в беду, а в том, как из нее выбраться. Смысл игры — помнить, кто мы на самом деле, и применять наши инструменты. Как научиться, не имея практики?

Он сомневался.

— Не знаю...

Нужно ли ему беспроблемное будущее, подумал я. Зачем он выбрал пространство-время, если ему не нужны проблемы?

— Мысленный эксперимент, — сказал я. — Представь, что в твоем мире нет ничего, что ты хотел бы изменить. И не осталось уже ничего, что можно было бы улучшить.

Он задумался на мгновение.

— Ура! — закричал он. — Это прекрасно!

— О'кей, — сказал я. — Теперь представь, что проходит месяц. Два. Год. Два года. Три. Ну и каково это?

— Мне хочется чего-то нового. Я хочу заняться чем-нибудь другим.

— Вот тебе и причина, по которой существует Мир Образов.

— Мы любим узнавать новое?

— Мы любим припоминать то, что уже знаем. Когда ты слушаешь свою любимую мелодию, или смотришь снова свой любимый фильм, или перечитываешь любимый рассказ, ты ведь заранее знаешь, как это прозвучит, как будет выглядеть и чем закончится? Удовольствие в том, чтобы переживать это еще и еще, столько раз, сколько тебе захочется. То же происходит с нашими силами. Сначала мы просто смутно что-то помним и несмело пробуем Выбор, Принцип Совпадений, Наши Мысли Воплощаются В Нашу Жизнь, Подобное Притягивает Подобное; мы экспериментируем с Законом Изменения Образов, стараясь отразить во внешнем наш внутренний мир.

— Ужасно.

— И когда он меняется — один раз, три раза, десять, — мы становимся смелее и увереннее — Инструменты действуют! Со временем мы начинаем доверять им полностью, вспоминаем все, что должны знать, и можем менять Образы так, как нам этого захочется, и переживать новые приключения по новым правилам.

— Расскажи мне о других Инструментах, — сказал он.

— Сколько их тебе надо? Наши сердца полны космических законов. Достаточно понять и уметь использовать хотя бы некоторые из них, и ничто уже не сможет тебе помешать стать тем, кем ты хочешь.

— Именно поэтому я и разговариваю сейчас с тобой! Я не знаю, кем я хочу стать!

Я нахмурился в тишине перед неразрешимой загадкой.

— А это, — сказал я, — уже серьезная помеха.

Двадцать восемь

Это происходит с каждым, подумал я. Однажды мы откладываем в сторону все, что знаем, и покидаем известное и знакомое. Это нелегко, но где-то внутри мы смутно чувствуем, что расставание с безопасностью — это единственный верный путь.

Сколько раз это случается в нашей жизни?

Мы убегаем от безопасности семьи к незнакомцам на детскую площадку. Бежим от безопасности друзей из соседних домов в бурлящий котел школы. От безопасности сидения за партой — в ужас ответа у доски. От нерушимой тверди вышки в бассейне — в прыжок два с половиной оборота. От простой легкости английского — в глубины немецких умляутов. От тепла зависимости — в ледяной холод самостоятельности. Из кокона обучения — в водоворот бизнеса. От земной тверди — к прекрасному риску полета. От определенности холостяцкой жизни — к изменчивой вере брака. От привычного уюта жизни — в зловещее приключение смерти. Каждый шаг каждой достойной жизни — это бегство из безопасности во тьму, и доверять можно только тому, что мы сами считаем истинным.

Откуда я все это знаю, удивился я, где я этому научился?

Нет времени для сна, нет под рукой Дикки, который мог бы услышать мои ответы, — но через миг... я знал!

Двадцать девять

Еще прежде, чем я понял, что дом — это нечто знакомое и любимое, я чувствовал это где-то глубоко внутри, словно спрятанный под словами магнит. Когда я ушел из ВВС, ближайшее место, где я чувствовал себя дома, находилось в Лонг-Бич, Калифорния.

Туда я и переехал, и устроился на работу недалеко от дома в отделе публикаций авиакомпании «Дуглас Эйркрафт». Эта работа — составление руководств пилотам DC-8 и C-124 — совмещала в себе и печатную машинку, и самолеты. Чего еще желать?

Здание отдела публикаций именовалось А-23 — акры помещений под высокой крышей, гигантский стальной остров, круто вздымающийся из моря автостоянок, обнесенного милями стального забора.

Войти в двери, отметить карточку учета рабочего времени, повернуться, и взору открывается обширная, уходящая за горизонт равнина чертежных столов инженеров, а также однотонный узор белых рубашек, слегка окрашенных в зеленоватый оттенок из-за света флуоресцентных ламп под потолком.

На этих столах рождались чертежи для авиационных руководств, слова же к ним должны были придумывать мы. Выслушать подробное объяснение инженера-проектировщика о том, что, к примеру, происходит при полном включении всех секторов газа, представить себе все, что она имеет в виду, и передать это пилоту так, чтобы он мог это прочесть и понять.

Нас предупредили, что понимание пилотов находится на уровне восьмого класса, но излишне напрягать его не стоит. Как можно меньше слогов. Короткие предложения. Четко составленные инструкции.

Взять, к примеру, «Порядок повторного захода на посадку» для С-124. В «Наставлении пилоту» было написано, что, если командир корабля принимает решение о повторном заходе на посадку, он должен отдать бортинженеру команду «Взлетный режим!», по которой тот передвигает до отказа вперед все сектора газа, переводя двигатели на взлетную, то есть максимальную, мощность.

Через некоторое время, после того как самолет снова переходит к набору высоты, командир отдает следующую команду: «Убрать шасси», и второй пилот должен поднять рычаг уборки шасси, чтобы, убрав шасси, увеличить скорость набора высоты.

В один прекрасный день случилось так, что С-124 вышел на посадку ниже глиссады, и пилот принял решение о повторном заходе.

— Взлетный режим!* — скомандовал он в соответствии с нашим «Наставлением». Бортинженер, приготовившийся к посадке, решил, что самолет находится уже в дюйме от ВПП, и, когда он услышал «Малый газ!»**, он его и убрал, передвинув все сектора на нижний упор.

Таким образом, один из самых больших в мире самолетов грохнулся на землю в полумиле от аэродрома и еще добрую минуту скользил по рисовому полю, теряя части, пока его тупой нос не оказался на первых дюймах ВПП.

Последовавшее за этим резкое недовольство ВВС США докатилось до директора отдела публикаций компании «Дуглас Эйркрафт» в А-23. Мы поспешно изменили команду «Взлетный режим» на «Максимальный режим» и лишний раз убедились, насколько важно тщательно продумать все последствия любого выбираемого нами слова.

Ответственное дело — составление технических текстов.

---

* Англ. — *Takeoff Power!*

** Англ. — *Take Off Power!*

Большинство из нас, кто писал наставления, сами когда-то были военными пилотами — до того, как превратиться в переписчиков Святого Писания. Мы могли общаться непосредственно с конструктором и выражать сложные понятия словами, доступными всем и каждому. Не просто ответственная работа, а полезное и важное дело всей жизни.

После нескольких месяцев, проведенных там, я, однако, начал испытывать смутное беспокойство. Время от времени редакторы критиковали мой синтаксис, полагая, наверное, что они лучше знают, где, должны, стоять, запятые.

— Остынь, Ричард, остынь, — советовали мне коллеги по работе из-за своих печатных машинок. — Это просто запятая, мы же не пишем здесь Великий Американский Роман. «Дуглас» платит хорошие деньги, и с работы тебя никто не выкинет. Лучше благодари Бога и не комментируй, пожалуйста, знание пунктуации наших редакторов.

Я с трудом пытался приспособиться. К чему эта сухая стерня под моими ногами, когда вон там, за воротами,— свежий мягкий зеленый клевер? Кто бы изводил меня запятыми, если бы я писал для себя? Я, бы, ставил, запятые, только, там где счел, бы, нуж,ным их по,ста,вит,ь,!

Медленно вырастала давняя проблема: у меня было сердце примадонны и тело быка.

— Я ухожу из «Дугласа», — сообщил я однажды за ланчем на стоянке, сидя на переднем крыле своей развалюхи, сменившей трех хозяев. — Я собираюсь немного поработать на самого себя. У меня есть несколько рассказов, которые вряд ли будут напечатаны в Техническом Описании 1-С-124G-1, как бы я ни расставлял в них запятые.

— Конечно, — сказал Билл Коффин, хрустя картофельным чипсом рядом со мной. — Мы все уходим из «Дуглас Эйркрафт». Зак ждет перевода в «Юнайтед Эйрлайнз» в следующем месяце и через год станет капитаном; Уилли Пирсон запатентовал какое-то автоматическое устройство и скоро станет богатым человеком; Марта Дайерс снова отослала свою повесть, и в этот раз ее непременно напечатают и она станет бестселлером. Он порылся в своей сумке. — У меня тут всего слишком много. Хочешь чипсов?

— Спасибо.

— Может быть, это и правда, что свободной коммерцией можно что-то заработать, как все кругом утверждают. Но заметь, Ричард, пока еще никто даже не высунулся за пределы этого забора. Работа в «Дугласе», может, и не так романтична, как, скажем плавание в открытом море на 48-футовом траулере, но знаешь, «Дуглас» — это то, что принято называть безопасностью.

Я кивнул.

— Знаешь, что я имею в виду, говоря о безопасности? Это отнюдь не самая тяжелая в мире работа, и, между нами, нам здесь платят больше, чем кому-либо за гораздо более тяжелую работу. И пока Америка будет нуждаться в пассажирских, а ВВС — в транспортных самолетах, нам с тобой увольнение не грозит.

— Да уж... — Я надкусил край картофельного чипса, больше из вежливости, чем от голода.

— Ты со мной согласен, но все-таки хочешь смыться, так?

Я не ответил.

— Ты что, действительно надеешься что-нибудь заработать своими рассказами? Сколько их тебе нужно будет продать, чтобы получить то, что тебе платят здесь?

— Много, — сказал я.

Он пожал плечами.

— Пиши рассказы в свое удовольствие, а деньги зарабатывай в «Дугласе», и тогда, если рассказы не будут покупать, ты, по крайней мере, не умрешь с голоду. А если их начнут печатать, можешь уволиться в любой момент.

Прозвучала сирена — конец обеденного перерыва, и Билл смахнул остатки своих чипсов на землю — моряцкая забота о чайках.

— Ты все еще мальчишка, ты никого не слушаешь и все сделаешь по-своему, — сказал он. — Но придет время, когда ты с тоской вспомнишь А-23 и замечания редакторов по поводу запятых. — Он указал в другой конец стоянки. — Посмотри туда.

Ставлю дайм*, что однажды ты будешь стоять на улице перед этими воротами и вспоминать, что такое безопасность.

Нет! подумал я. Не говорите мне, что моя безопасность может зависеть от кого-то еще, кроме меня! Скажите, что *я* за все отвечаю. Скажите, что безопасность — это то, что я получаю в обмен на мои знания, опыт и любовь, которые даю миру. Скажите, что безопасность вырастает из идеи, которой посвятили время и заботу. Я требую этого во имя своей истины, независимо от того, сколько солидных чеков может мне выдать бухгалтерия «Дуглас Эйркрафт». Боже, подумал я, я прошу у тебя не работу, а *идеи*, и позволь мне убраться отсюда вместе с ними!

Я засмеялся, отряхнул крошки и соскочил с крыла.

— Может быть, ты и прав, Уилли. Однажды я буду стоять за этими воротами.

На следующий день я подал заявление и уже к концу месяца стал свободным писателем на пути к голоду.

Двадцать лет спустя, почти в тот же самый день, оказавшись в Лос-Анджелесе, я поехал на юг по Сан-Диего-фривэй, увидел знакомый дорожный знак, повинуясь внутреннему импульсу, свернул на север, вверх по Хоторн-бульвар, затем — немного к востоку.

Каким образом тело запоминает движения? Поворот налево, еще один, теперь вверх по этой авеню, усаженной эвкалиптами.

Был почти полдень, ярко светило солнце, когда я добрался до места. Естественно, сверкающая проволочная изгородь все так же окружала необозримую площадь стоянки, стальная громада здания все так же уходила ввысь, даже выше, чем я помнил. Я остановился у ворот, вышел из машины с гулко бьющимся сердцем. То, что я увидел, меня поразило.

На стоянке сквозь трещины поблекшего асфальта пробивался бурьян, и на все три тысячи мест не было ни одной машины.

---

* 10-центовая монета.

Ворота были обвязаны цепями, замкнутыми массивными навесными замками.

Тяжелые времена для свободных писателей, вспомнил я. Но и для больших авиастроительных компаний они тоже бывают тяжелыми.

Вдалеке на стоянке мерцал призрак Билла Коффина, выигравшего, наконец, свое пари. Я стоял один здесь, перед воротами и вспоминал, что значит «безопасность», глядя сквозь сетку на то, что некогда ее воплощало.

Я бросил сквозь сетку дайм старине Биллу и, постояв в тишине, поехал, назад гадая где, он, сейчас.

Тридцать

— Мир гибнет в войнах и терроризме, — произнес комментатор, как только загорелся экран телевизора. — Сегодня мы, к сожалению, вынуждены констатировать, что повсюду смерть и голод, засухи, наводнения и чума, эпидемии и безработица, море умирает а вместе с ним — и наше будущее климат меняется леса горят и ненависть в обществе достигла апогея — имущие против неимущих, правильные против всяческих хиппи, экономические спады и озонные дыры и парниковый эффект и флорофлюорокарбоны, многие виды животных вымирают извините вымерли, кругом наркотики, образование мертво, города рушатся, планета перенаселена и преступность завладела улицами и целые страны приходят к банкротству, воздух загрязняется ядовитыми выбросами, а земля — радиоактивными, идут кислотные дожди, неурожаи зерновых, пожары и грязевые сели, извержения вулканов и ураганы и цунами и торнадо и землетрясения разливы нефти и неблагоприятная радиационная обстановка— все, как, по словам многих, предсказано в Книге Настороженности, а кроме того, к Земле приближается огромный астероид, в случае столкновения с которым все живое на планете будет уничтожено.

— Может, переключим на другой канал? — спросил я.

— Этот еще получше остальных, — сказала Лесли.

Дикки малодушничал внутри.

— Мы все умрем.

— Говорят, что так.

Я наблюдал за Армагеддоном на экране.

— И тебе никогда не бывает от этого плохо? — спросил он. — Ты никогда не срываешься, не впадаешь в депрессию?

— Какая от этого польза? Чего ради мне впадать в депрессию?

— От того, что ты видишь! От того, что ты слышишь! Они говорят о конце света! Разве это шутки?

— Нет, — сказал я ему. — Все даже гораздо хуже — настолько, что они не смогут даже рассказать об этом за тридцать минут.

— Тогда надежды нет! Что же ты здесь делаешь?

— Нет надежды? Конечно, ее нет, Капитан! Нет надежды на то, что завтра вещи останутся такими, какими они были вчера. Нет надежды, что существует что-либо, кроме реальности, способное длиться вечно, а реальность — это не пространство и не время. Мы называем это место Землей, хотя его настоящее имя — Изменение. Люди, нуждающиеся в надежде, либо не выбирают Землю, либо не принимают всерьез здешние игры.

Рассказывая ему все это, я почувствовал себя бывалым планетарным туристом, потом понял, что так оно и есть на самом деле.

— Но эти новости, по телевизору, они ведь ужасны!

— Это как в авиации, Дикки. Иногда собираешься в полет, а метеопрогноз предупреждает о надвигающихся грозах, риске обледенения, дожде, песчаных бурях и скрывающихся в тумане вершинах гор, а также сдвиге ветра*, вихревых потоках и слабом индексе подъемной силы. И вообще, сегодня только последний дурак осмелится взлететь. А ты взлетаешь, и полет проходит прекрасно.

— Прекрасно?

— Выпуск новостей сродни метеопрогнозу. Мы ведь летим не сквозь метеопрогноз, а сквозь реальные погодные условия на момент нашего полета.

— Которые неизменно оказываются прекрасными?

— Ничуть. Иногда они оказываются еще хуже, чем сам прогноз.

— И что же ты делаешь?

— Я стараюсь сделать все, что от меня зависит, в данный момент времени в данной области неба. Я отвечаю только за благополучный полет только в погодных условиях того кусочка не-

---

* Атмосферное явление.

ба, который занимает мой самолет. Я отвечаю за это, так как сам принял эти условия, выбрав время и направление для носа Дейзи. Как видишь, до сих пор я жив.

— А мир? — в его глазах зажегся интерес: ему было необходимо знать.

— Наш мир — не шар, Дикки, а большая пирамида. В ее основании находятся самые примитивные жизненные формы, которые только можно представить: ненавидящие, злобные, разрушающие ради самого разрушения, бесчувственные, ушедшие всего на шаг от сознания настолько жестокого, что оно разрушает само себя еще в момент рождения. Здесь, на нашей пирамидальной третьей планете, предостаточно места для такого сознания.

— Что же на вершине пирамиды?

— На вершине находится такое чистое сознание, что оно с трудом может различить что-либо кроме света. Существа, живущие ради своих любимых, ради высшего порядка, создания идеальной перспективы, встречающие смерть с любящей улыбкой, какому бы чудовищу ни пришло лишить их жизни ради удовольствия видеть чью-то смерть. Такими существами, наверное, являются киты. Большинство дельфинов. Некоторые из нас, людей.

— Посредине находятся все остальные, — сказал он.

— Ты и я, малыш.

— А мы можем изменить мир?

— Безусловно, — сказал я. — Мы можем изменить мир так, как нам этого захочется.

— Не наш мир. Мир — можем ли мы сделать его лучше?

— Лучше для нас с тобой, — сказал я, — не значит лучше для всех.

— Мир лучше войны.

— Те, кто находится на вершине пирамиды, скорее всего, согласились бы.

— А те, кто на дне...

—...любят побоища! Всегда найдется причина для драки. Если повезет, то она может иметь оправдание: мы сражаемся за Гроб Господен, или ради защиты отечества, очищения расы, расширения империи или доступа к олову и вольфраму. Мы воюем, потому что нам хорошо платят, потому что разрушение возбуждает больше, чем созидание, потому что воевать легче, чем зарабатывать на жизнь трудом, потому что воюют все вокруг, потому что этого требует мужская гордость, потому, наконец, что нам нравится убивать.

— Ужасно, — сказал он.

— Не ужасно, — сказал я. — Это в порядке вещей. Когда на одной планете сосредоточено такое разнообразие мнений, конфликтов не избежать. Ты согласен с этим?

Он нахмурился.

— Нет.

— В следующий раз выбери планету поо днообразнее.

— Что, если следующего раза не будет? — сказал он. — Что, если ты ошибаешься, говоря о каких-то других жизнях?

— Это не имеет значения, — сказал я. — Мы строим наш личный мир спокойным или бурным в зависимости от того, как именно мы хотим жить. Мы можем создать мир посреди хаоса и разрушение посреди рая. Все зависит от того, куда мы направим свой дух.

— Ричард, — сказал он, — все, что ты говоришь, — так субъективно! Разве трудно представить, что могут существовать вещи, которые тебе не подвластны? Что может быть совершенно иная схема — например, что жизнь существует сама по себе, независимо от того, что ты думаешь или не думаешь, или что весь наш мир — это эксперимент инопланетян, наблюдающих за нами в микроскоп?

— Это тоскливо, Капитан, — не управлять самому. Быстро надоедает. Когда меня просто катают, я чувствую свою ненужность, и это меня злит. Не интересно лететь, когда ты не можешь управлять самолетом, тогда уж лучше выйти и пойти пешком. Пока эти инопланетяне достаточно спокойны и хитры, чтобы я не сомневался в том, что именно я — хозяин своей маленькой судьбы, я играю в их игру. Но как только они посмеют потянуть за ниточки, я их обрежу.

— Может быть, они тянут за ниточки о-ч-е-н-ь о-с-т-о-р-о-ж-н-о, — сказал он.

Я улыбнулся ему.

— До сих пор они себя не выдали. Но если я увижу эти ниточки на своих запястьях, в ту же минуту в ход пойдут ножницы.

Заканчивая документальное живописание катастроф, комментатор пожелал всем счастливого дня и выразил надежду встретиться с нами завтра.

Лесли повернулась ко мне.

— Это Дикки, не так ли?

— Откуда ты знаешь?

— Он беспокоится о будущем.

Она — телепат, подумал я.

— Ты что, разговаривала с ним?

— Нет, — ответила она. — Если бы его не обеспокоило то, что мы только что увидели, я бы подумала, что ты сходишь с ума.

Тридцать один

На следующее утро Лесли, что-то напевая, возилась со своим компьютером, когда я остановился у ее дверей. Я постучался.

— Это всего лишь я.

— Не всего лишь ты, — сказала она, подняв голову. — Ты — это очень многое! Ты мой любимый!

Чем бы она ни занималась в данный момент, у нее, по-видимому, все получалось. Если у нее что-то не выходит, она не напевает, не поднимает головы, она просто отводит мне лишнюю дорожку* в своем сознании и продолжает одновременно заниматься всем остальным.

— Сколько ты весишь? — спросил я.

Она подняла руки над головой.

— Смотри.

— Отлично. Просто превосходно. Но, может быть, чуть-чуть меньше, чем нужно, тебе не кажется?

— Ты идешь за продуктами, — угадала она.

Я вздохнул. Бывало, мне хватало нескольких минут, чтобы ее обработать, причитая, как страшна анорексия, грозящая каждой работающей женщине, или предсказывая близящийся ледниковый период и сокращение мировых запасов продовольствия. Теперь Лесли способна раскусить мою самую тонкую игру.

Однако потеряно было не совсем все, так как мне удалось узнать, сколько она весит.

— Взять что-нибудь особенное? — спросил я в надежде услышать: «Да! Торты, кексы и пирожные с заварным кремом».

---

* Компьютерный термин — область для хранения информации.

— Крупу и овощи, — сказала она, сама Дисциплина. — Нам нужна морковь?

— Уже в списке, — ответил я.

Накануне того дня, как мы решим вознестись из наших тел, я испеку два лимонных пирога — по одному на каждого — и предложу съесть их, пока они не остыли, подумал я. Жена откажется, в шоке от моей потери контроля над собой, и я съем их сам.

Он нашел меня в рисовой секции отдела круп.

— Правда ли, что существует философия полета?

Я обернулся, обрадовавшись встрече.

— Дикки, да! Чтобы летать, мы должны верить в то, что не можем увидеть, не так ли? И чем больше мы узнаем о принципах аэродинамики, тем свободнее мы себя чувствуем в воздухе, вплоть до ощущения волшебства...

— Существует также и философия боулинга*.

Этот внезапный переход так меня поразил, что я громко повторил вслед за ним:

— Боулинг?

В пшеничном отделе какая-то женщина подняла голову и взглянула на меня, разговаривающего в полном одиночестве, с большим пакетом коричневого риса в руке.

Я потряс головой и на миг улыбнулся ей: видите ли, я немного эксцентричен.

Дикки не обратил на это внимания.

— Должна быть, — сказал он. — Если существует философия полета, то должна существовать и философия боулинга — для тех, кому не нравятся самолеты.

— Капитан, — сказал я ему тихо, направляя свою тележку в угол с овощами, — нет таких людей, которым не нравились бы самолеты. Тем не менее существует и философия боулинга. Каждый из нас выбирает свою дорожку, и смысл в том, чтобы очистить ее от кеглей — наших жизненных испытаний, потом выста-

* Игра в шары, кегли.

вить время и начать сначала. Кегли специально сделаны неустойчивыми, они сбалансированы в расчете на падение. Но они так и будут маячить в конце нашей дорожки, пока мы не решимся предпринять какие-нибудь действия, чтобы убрать их с пути. Семь из десяти — это не катастрофа, а удовольствие, шанс проявить нашу дисциплину, умение и грацию в вынужденных обстоятельствах. И те, кто за этим наблюдают, получают такое же удовольствие, как и мы сами.

— Садоводство.

— Что посеешь, то и пожнешь. Думай, что выращиваешь, так как однажды это станет твоим обедом...

Я был настолько захвачен его внезапным тестом, что проехал мимо шоколадного отдела и даже не посмотрел в ту сторону, заранее готовя в уме метафоры о солнце, сорняках и воде для ответов на его возможные вопросы о философии прыжков с шестом, вождения гоночных машин, розничной торговли. В том, что большинство из нас называет любовью, подумал я, также кроется поразительная метафора и наилегчайший способ объяснить, почему мы выбираем Землю для игр.

— Но как все это действует, Ричард?

Он сразу же прикусил язык, ужаснувшись своей ошибке.

— Как, *по твоему мнению*, все это действует?

— Вселенная? Я уже рассказал.

Я выбрал сетку яблок с открытого лотка.

— Не Вселенная. Посев. Как и почему это происходит. Я понимаю, что это не так важно, раз, по-твоему, это все — только Образы. Но все же каким образом невидимые идеи превращаются в видимые объекты и события?

— Иногда мне хочется, чтобы ты был взрослым, Дикки.

— Почему?

Интересно, подумал я, выбирая пучок свеклы. Ни звука неудовольствия, когда я выразил свое желание видеть его взрослым, хотя это от него не зависело. Был ли я в свое время так же эмоционально развит, как этот смышленый мальчуган?

— Потому что мне потребовалось бы гораздо меньше слов на объяснение, если бы ты знал квантовую механику. Я свел физику сознания к сотне слов, но тебе потребовалась бы вечность, чтобы проникнуть в их суть. Ты никогда не будешь взрослым, и я никогда не смогу вручить тебе свой трактат, умещающийся на одной странице.

Любопытство одержало верх.

— Представь, что я — взрослый, знающий квантовую механику, — сказал он. — Как бы ты рассказал о работе сознания всего на одной странице? Конечно, я еще слишком мал, чтобы понять, но мне просто интересно было бы послушать. Можешь рассказывать так, как сочтешь необходимым, не делая скидки на мой возраст.

Это вызов, подумал я, он считает, что я блефую. Я покатил тележку с продуктами к кассе.

— Сначала я скажу название: *Физика Сознания, или Популярно о Пространстве-Времени*.

— Дальше пойдет резюме, — сказал он.

Я воззрился на него. Я не знал слова «резюме», когда учился в школе. Откуда он знает?

— Точно, — сказал я. — А теперь я должен изложить свои мысли красивым шрифтом, как в «American Journal of Particle Science». Внимательно вслушивайся, и может, тебе удастся понять одно-два слова, хоть ты и ребенок.

Он засмеялся.

— Хоть я и ребенок.

Я прочистил горло и притормозил тележку возле кассы, радуясь минутной задержке в небольшой очереди.

— Так ты хочешь услышать все как есть и сразу?

— Как если бы я был квантовым механиком, — сказал он.

Вместо того чтобы исправлять его стилистическую ошибку, я рассказал ему все, что думал.

> — Мы являемся фокусирующими точками сознания, — начал я, — с огромной созидательностью. Когда мы вступаем на автономную голограмметрическую арену, называемую нами пространство-время, мы сразу же начинаем в неистовом продолжительном фейерверке продуцировать творческие частицы, *имаджоны*. Имаджоны не имеют

собственного заряда, но легко поляризуемы нашим отношением и силами нашего выбора и желания, образуя облака *концептонов*, принадлежащих к семейству частиц с очень большой величиной энергии и способных либо принимать позитивный или негативный заряд, либо быть нейтральными.

Он внимательно слушал, притворяясь, без сомнения, что понимает все до последнего слова.

— К основным типам позитивных концептонов относятся: *экзайлероны, эксайтоны, рапсодоны* и *джовионы*. К негативным — *глумоны, торментоны, трибулоны, агононы* и *мизероны**.

Бесконечное число концептонов рождается в непрерывном извержении, водопаде продуктивности, изливающемся из любого центра персонального сознания. Они образуют *концептонные облака*, которые могут быть как нейтральными, так и сильно заряженными — жизнерадостностью, невесомыми или свинцовыми, в зависимости от природы преобладающих в них частиц.

Каждую наносекунду бесконечное число концептонных облаков образуют критические массы, превращаясь путем квантовых взрывов в высокоэнергетические вероятностные волны, излучаемые с тахионной скоростью сквозь вечный резервуар, содержащий в сверхконцентрированном виде различные события. В зависимости от их заряда и природы, эти вероятностные волны кристаллизуют неко-

---

* (Англ.) Частицы с позитивным зарядом: *imagons*— от *imagination* — воображение, фантазия; *conceptons* — от *conceptions* (понимание); *exhilarons* — от *exhilaration* (веселье, веселость); *excutons* — от *excuse* (прощение); *rhapsodons* — от *rhapsody* (восхищение); *jovions* — от *joviality* (веселость, общительность).
И частицы с негативным зарядом: *gloomons* — от *gloomy* (мрачный, темный, хмурый); *tormentons* — от *torment* (мучение); *tribulons* — от *tribulfte* (мучить, беспокоить); *agonons* — от *agonize* (испытывать сильные мучения, агонизировать); *miserons* — от *miser* (скупой, скряга) и, очевидно, от *miserable* (жалкий, несчастный).

торые из этих потенциальных событий в соответствии с ментальной полярностью творящего их сознания на голографическом уровне. Успеваешь, Дикки?

Он кивнул, и я рассмеялся.

— Материализованные события превращаются в опыт творящего их сознания, будучи для большей достоверности наделены всеми аспектами физической структуры. Этот автономный процесс — фонтан, порождающий все предметы и события в театре пространства-времени.

Правдоподобие имаджонной гипотезы каждый может легко подвергнуть проверке. Эта гипотеза утверждает, что, сконцентрировав наше сознание и мысли на положительном и жизнеутверждающем, мы поляризуем массы положительных концептонов, порождаем доброжелательные вероятностные волны и, таким образом, порождаем полезные для нас события, которые в ином случае не произошли бы.

Обратное справедливо для отрицательных и промежуточных событий. Намеренно или по ошибке, произвольно или в соответствии с неким замыслом, мы можем не только выбирать, но и творить видимые внешние условия, оказывающие значительное влияние на наше внутреннее состояние.

Конец.

Он подождал, пока я расплатился.
— И это все? — спросил он.
— Что-то не так? — спросил я. — Я в чем-то заблуждаюсь?
Он улыбнулся, ведь это отец научил нас обоих, как важно правильно произносить это слово*.
— Откуда мне, ребенку, знать — заблуждаешься ты или нет?
— Можешь смеяться, если хочешь, — сказал я ему. — Давай, даже можешь назвать меня полоумным. Но через сотню лет кто-

---

* Англ. — *Have I* **erred** *in any way?*

нибудь опубликует эти слова в «*Modern Quantum Theory*», и никому не придет в голову назвать это безумием.

Он встал на подножку тележки и поехал на ней, после того как я ее подтолкнул по направлению к машине.

— Если тобой не завладеют *глумоны*, — крикнул он, — такое вполне возможно.

Тридцать два

Я совершал пробный полет на Дейзи, медленно набирая двадцать тысяч футов для того, чтобы проверить действие турбонагнетателей на высоте. Недавно я заметил, что с высотой в обоих двигателях появляются странные скачки оборотов, и надеялся, что эту неисправность удастся устранить, просто смазав выпускные клапана.

Мир мягко проплывал в двух милях подо мной, медленно опускаясь до четырех; горы, реки и край моря с высотой все больше походили на расплывчатое изображение дома, нарисованное ангелом. Скорость набора высоты у Дейзи выше, чем у многих других легких самолетов, но, глядя вниз, казалось, что она лениво дрейфует по темно-голубому озеру воздуха.

— Из всего, что ты знаешь, — сказал Дикки, — скажи мне то, что, по-твоему, мне необходимо знать больше, чем все остальное, то единственное, что я никогда не забуду.

Я задумался над этим.

— Единственное?

— Только одно.

— Что ты знаешь о шахматах?

— Мне они нравятся. Отец научил меня играть, когда мне было семь лет.

— Ты любишь своего отца?

Он помрачнел.

— Нет.

— До того как он умрет, ты успеешь полюбить его за его любознательность, юмор и стремление прожить жизнь настолько хорошо, насколько это возможно с его набором суровых принципов. А пока — люби его за то, что он научил тебя играть в шахматы.

— Это всего лишь игра.

— Как и футбол, — сказал я, — и теннис, и баскетбол, и хоккей, и жизнь.

Он вздохнул.

— И это — та единственная вещь, которую мне необходимо знать? Я ожидал чего-то... более глубокого, — сказал он. — Я надеялся, что ты поделишься со мной каким-нибудь секретом. Все ведь говорят, что жизнь — это игра.

На шестнадцати тысячах обороты заднего двигателя начали пульсировать — почти незаметные нарастания и спады, хотя топливная система работала нормально. Я передвинул вперед рычаг шага винта, и двигатель заработал устойчивее.

— Ты хочешь услышать секрет? — спросил я. — *Иногда, хоть и очень редко, то, что говорят все вокруг, оказывается истинным*. Что, если все вокруг правы, и эта псевдожизнь на этой псевдо-Земле — в самом деле игра?

Он повернулся ко мне, озадаченный.

— Что же тогда?

— Допустим, что наше пребывание здесь — это спорт, цель которого — научиться делать выбор с как можно более длительными положительными последствиями. Жестокий спорт, Дикки, в котором трудно выиграть. Но если жизнь — это игра, что о ней можно сказать?

Он подумал.

— Она имеет свои правила?

— Да, — сказал я. — Каковы они?

— Нужно быть готовым...

— Абсолютно точно. Нужно быть готовым участвовать с настроенным сознанием.

Он нахмурился.

— Что-что?

— Если мы не настроим должным образом свое сознание, Капитан, мы не сможем играть на Земле. Знающему, какова должна быть совершенная жизнь, придется отбросить свое всезнание и довольствоваться только пятью чувствами. Слышать частоты только в полосе от двадцати до двадцати тысяч герц и называть это *звук*; различать спектр только от инфракрасного до ультрафиолетового и называть это *цвет*; принимать линейное направление времени от прошлого к будущему в трехмерном пространстве в двуногом прямостоящем углеродном теле наземной млекопитающей жизненной формы, приспособленной к жизни на планете класса М, вращающейся вокруг звезды класса G. Вот теперь мы готовы к игре.

— Ричард...

— Это и есть те правила, которым мы следуем, ты и я!

— Не знаю, как ты, — сказал он, — но...

— Смотри на это как хочешь, — сказал я. — Мысленный эксперимент. Что, если бы для тебя не существовало ограничений? Что, если бы ты, наряду с видимым светом, мог различать еще и ультрафиолетовые, инфракрасные и рентгеновские лучи? Имели бы дома, и парки, и люди для тебя такой же вид, как для меня? Видели бы мы одинаково один и тот же пейзаж? Что, если бы твое зрение воспринимало настолько малые величины, что стол казался бы тебе горой, а мухи — птицами? Как бы ты жил? Что, если бы ты мог слышать любой звук, любой разговор в радиусе трех миль? Как бы ты учился в школе? Что, если бы ты имел тело, отличное от человеческого? Если бы ты помнил будущее до твоего рождения и прошлое, которое еще не произошло? Думаешь, мы бы приняли тебя в игру, если бы ты не следовал нашим правилам? Кто бы, по-твоему, стал с тобой играть?

Он склонил голову влево, потом вправо.

— О'кей, — уступил он, не так впечатленный этими правилами, как я сам, но все же разминаясь перед очередным тестом. — Игра также обычно имеет какую-то игровую площадку — доску, или поле, или корт.

— Да! И?

— В ней участвуют игроки. Или команды.

— Да. Без нас игра не состоится, — сказал я. — Какие еще правила?

— Начало. Середина. Конец.

— Да. И?

— Действие, — сказал он.

— Да. И?

— И все, — сказал он.

— Ты забыл основное правило, — сказал я. — Роли. В каждой игре нам отводится какая-то роль, наше обозначение на время игры. Мы становимся спасателем, жертвой, лидером-который-все-знает, исполнителем-без-инициативы, умным, смелым, честным, хитрым, ленивым, беспомощным, живущим-кое-как, дьявольским, беспечным, жалким, серьезным, беззаботным, солью-земли, марионеткой, клоуном, героем... наша роль зависит от каприза судьбы, но в любой момент мы можем ее поменять.

— Какова твоя роль? — спросил он. — В данную минуту.

Я засмеялся.

— В данную минуту я играю Довольно-Неплохого-Парня-из-Твоего-Будущего-с-Некоторыми-Доморощенными-Идеями-Полезными-для-Тебя. А твоя?

— Я притворяюсь Мальчиком-из-Твоего-Прошлого-Который-Хочет-Знать-Как-Устроен-Мир.

Он очень странно посмотрел на меня, произнося эту фразу, как будто его маска на мгновение спала и он понял, что и я вижу сквозь его роль. Но я был слишком увлечен своей собственной игрой, чтобы на моем лице отразился интерес именно к этому моменту.

— Отлично, — сказал я. — А теперь попробуй на время выйти из игры, но продолжай мне о ней рассказывать.

Он улыбнулся, потом нахмурил брови.

— Что ты имеешь в виду?

Я накренил самолет вправо и направил к земле, в трех милях под нами.

— Что ты можешь сказать об играх с такой высоты?

Он взглянул вниз.

— О! — сказал он. — Их там множество, и они идут одновременно. В разных комнатах, на разных кортах, разных полях, городах и странах...

— ...разных планетах, галактиках и вселенных, — сказал я. — Да! И?

— Разных временах! — сказал он. — Игроки могут играть одну игру за другой.

Глядя отсюда, он наконец понял.

— Мы можем играть за разные команды, ради удовольствия или ради денег, с легким противником или с тем, у кого нам никогда не выиграть...

— А тебе нравится играть, когда ты заранее знаешь, что не можешь проиграть?

— НЕТ! Чем труднее, тем увлекательнее!

Он подумал еще раз.

— До тех пор, пока я выигрываю.

— Если бы не было риска, если бы ты знал, что не можешь проиграть, если бы ты заранее знал исход игры, смогла бы она тебя увлечь?

— Интереснее не знать.

Он резко повернулся ко мне.

— Бобби знал исход.

— Была ли его жизнь трагедией, раз он умер таким юным?

Он посмотрел в окно, снова вниз.

— Да. Я уже никогда не узнаю, кем он мог бы стать. Кем я мог бы стать.

— А если представить, что жизнь — это игра. Счел бы Бобби свою жизнь трагедией?

— Как насчет мысленного эксперимента?

Я улыбнулся.

— Ты и Бобби играете в шахматы в прекрасном доме с множеством комнат. В середине игры твой брат начинает понимать, как она закончится, других вариантов нет, тогда он прекращает играть и уходит смотреть дом. Считает ли он происходящее трагедией?

— Не интересно играть, зная исход, и к тому же он хочет взглянуть на другие комнаты. Для него никакой трагедии нет.

— Трагедия для тебя, когда он выходит?

— Я не плачу, — сказал он, — когда кто-то выходит из комнаты.

— Теперь приблизим к себе шахматную доску. Вместо игрока ты сам становишься игрой. Шахматные фигурки именуются Дикки и Бобби и Мама и Отец, и вместо дерева они сделаны из плоти и крови и знают друг друга всю свою жизнь. Вместо клеток — дома и школы, улицы и магазины. И вот игра оборачивается так, что фигурка с именем Бобби взята в плен. Он исчезает с доски. Это трагедия?

— Да! Он теперь не просто в другой комнате, его нет! Никто не может его заменить, и до конца своей жизни мне придется играть без него.

— Таким образом, чем ближе мы к игре, — сказал я, — чем больше мы в нее вовлечены, тем больше потеря походит на трагедию. Но потеря — это трагедия *только для игроков*, Дикки, только тогда, когда мы забываем, что это всего лишь шахматы, когда мы думаем, что на свете существует только наша доска.

Он внимательно смотрел на меня.

— Чем больше мы забываем, что это игра, а мы игроки, тем более чувствительны к ней мы становимся. Но жизнь — это тот же бейсбол или фехтование — как только игра закончена, мы вспоминаем: ох, я же играл потому, что люблю спорт!

— Когда я забываю, — спросил он, — мне нужно только подняться над шахматной доской и взглянуть на нее сверху?

Я кивнул.

— Тебя научили этому полеты, — сказал он.

— Меня научила этому высота. Я взбираюсь сюда и смотрю вниз на множество шахматных досок по всей Земле.

— Ты печалишься, когда кто-нибудь умирает?

— О них — нет, — ответил я. — И о себе тоже. Горе — это погружение в жалость к самому себе. Каждый раз, когда я его переживал, я выходил из него очищенным, но холодным и мокрым. Я не мог заставить себя понять, что смерть в пространстве-времени не более реальна, чем жизнь в нем, и через какое-то время оставил попытки.

Я вышел на двадцать тысяч футов и передвинул сектора газа назад, к крейсерской скорости. Двигатели среагировали с запаздыванием, но это нормально. Выпускные клапаны турбонагнетателей были полностью закрыты, направляя белый огонь прямо в турбины. За бортом было минус двадцать, и вряд ли огня выхлопных патрубков хватило бы на то, чтобы расплавить серебро.

На таком контрасте, подумал я, мы и летаем.

— Большинство людей считают, что скорбь необходима, что горе здоровее морковного сока и лесного воздуха. Я слишком прост, чтобы это понять. Когда мы понимаем смерть, горе становится не более необходимым, чем страх, когда мы понимаем принцип полета. Зачем оплакивать того, кто не умер?

— Так принято? — спросил он. — Предполагается, что нужно горевать, когда люди исчезают.

— Почему? — спросил я.

— Потому что предполагается, что ты должен отбросить размышления и отдаться тому, что видишь, чувствуя себя при этом несчастным! Таковы правила, Ричард! Все так поступают!

— Не все, Капитан. В каждом горе должен быть смысл, а пока он есть, к чему нам горевать? Если бы я хотел сказать тебе самое главное о жизни, я бы попросил тебя никогда не забывать, что это — всего лишь игра.

В это время задний двигатель опять начал барахлить, при этом одновременно заплясали стрелки тахометра, давления наддува и топливного давления.

— Черт! — сказал я, не понимая, в чем дело.

— Это просто игра, Ричард.

— Чертик, — сказал я, смягчаясь.

Я подал ручку вперед, и мы начали снижение.

— Скажи мне что-нибудь еще, что мне необходимо знать. Несколько правил на каждый день.

— Правил, — сказал я.

Мне всегда нравилось, когда несколько слов вмещали огромный смысл.

Когда проворачиваешь винт под компрессией, не удивляйся, если двигатель заведется.

Он повернулся ко мне, вопросительно подняв брови.

— Это авиационное правило, — сказал я. — Принцип Неожиданных Последствий. Лет через двадцать ты поймешь, насколько он глубок.

Каждый настоящий учитель — это я сам в маске.

— Это правда? — спросил он.

— Ты действительно хотел бы услышать несколько первоклассных правил?

— Да, если можно.

— В данный момент я перебираю всю свою жизнь, чтобы бескорыстно передать тебе все, что я заработал в обмен на время. Ты чрезвычайно умен, и если даже ты не поймешь их сейчас, я думаю, что они вернутся к тебе позднее, когда придет время.

— Да, сэр, — кротко, как подобает изучающему Дзэн.

Тот, кто ценит безопасность выше счастья, по этой цене ее и получает.

Когда в лесу падает дерево, звук от его падения разносится повсюду; когда существует пространство-время, существует и наблюдающее за ним сознание.

Вина — это наше стремление изменить прошлое, настоящее или будущее в чью-то пользу.

Некоторые решения мы переживаем не один, а тысячу раз, вспоминая их до конца жизни.

Какое счастье для нас, что мы не можем помнить наши предыдущие жизни, подумал я. Иначе мы просто не смогли бы двигаться дальше, парализованные воспоминаниями.

Мы не знаем ничего до тех пор, пока не согласится наша интуиция.

Задний двигатель вернулся в нормальный режим на шестнадцати тысячах футов. По-видимому, с этим турбонагнетателем что-то не очень серьезное, просто какая-то небольшая неисправность.

Пойми как можно раньше: мы никогда не взрослеем.

В момент когда мы видим перед собой человека, мы видим только кадр из его жизни — в нищете или роскоши, в печали или радости. Один кадр не может вместить миллионы решений, предшествовавших этому моменту.

— Спасибо, Ричард, — сказал Дикки. — Это прекрасные правила. По-моему, мне достаточно.

Первый признак потребности в изменении — смертельная угроза некоему статус-кво.

Вынуждающая причина никогда не убедит слепое чувство.

Жизнь не требует от нас быть последовательными, жестокими, терпеливыми, полезными, злыми, рациональными, беспечными, любящими, безрассудными, открытыми, нервными, осторожными, суровыми, расточительными, богатыми, угнетенными, кроткими, пресыщенными, деликатными, смешными, тупыми, здоровыми, жадными, красивыми, ленивыми, ответственными, глупыми, щедрыми, сластолюбивыми, предприимчивыми, умелыми, проницательными, капризными, мудрыми, эгоистичными, добрыми или фанатичными. Жизнь требует от нас жить с последствиями наших решений.

— Ладно, — сказал он. — Смотрю, приходится платить за доступ к твоему жизненному опыту. Спасибо. Правил уже предостаточно!

Альтернативные жизни подобны пейзажам, отраженным в оконном стекле... они так же реальны, как наша текущая жизнь, но менее ясно различимы.

Если вина лежит не на нас, то мы не можем принять и ответственность за это. Если мы не можем принять ответственность, мы всегда будем оставаться жертвой.

— Спасибо, Ричард.

Наша истинная страна — это страна наших ценностей, — продолжал я, — *а наше сознание — это голос ее патриотизма.*

У нас нет прав, пока мы их не потребуем.

Мы должны уважать наших драконов и поощрять их разрушительные стремления и желание нас уничтожить. Высмеивать нас — их долг, унижать нас и следить, чтобы мы оставались «как все», — их работа. А когда мы упорно идем своим путем, невзирая на их пламя и ярость, они лишь пожимают плечами, когда мы скрываемся из виду, и возвращаются к своей игре в карты с философским «Что ж, всех не поджаришь...».

Когда мы миримся с ситуацией, с которой не должны были бы мириться, это происходит не потому, что нам не хватает ума. Мы миримся потому, что нам необходим урок, который может дать только эта ситуация, и этот урок для нас дороже свободы.

Счастье — это награда, которую мы получаем, живя в соответствии с наивысшим известным нам порядком.

ДОВОЛЬНО! ИХ СЛИШКОМ МНОГО, РИЧАРД! ХВАТИТ ПРАВИЛ! ЕСЛИ ТЫ ПРОИЗНЕСЕШЬ ЕЩЕ ХОТЬ ОДНО ПРАВИЛО, Я ЗАКРИЧУ!

— О'кей, — сказал я. — Но все же будь осторожен в своих молитвах, Дикки, пото...

— АААААААААААААААААААААААЙЙЙЙЙЙЙЙЙИИИИИИИИИИИИИИИИИИИИ!!!!!!!!!

Тридцать три

Пока я мужественно готовил ужин, Лесли сидела у стойки на высоком табурете, зачарованно внимая моему рассказу о Дикки.

— С этого момента он просто мой маленький воображаемый приятель, — сказал я, — и я делюсь с ним всем, что знаю, просто ради удовольствия самому это вспоминать.

Я высыпал на нашу большую сковородку мелко нарезанные овощи.

— Ты что, прячешься за словом «воображаемый»? — спросила Лесли.— Тебе нужна безопасная дистанция? Ты его боишься?

Перед этим она зашла в дом, собираясь переодеть свой садовый наряд: белые шорты, футболка и широкополая шляпа. Она успела снять шляпу, но сейчас была настолько охвачена любопытством, углубляясь в наши с Дикки отношения, что переодевание, по-видимому, было отложено на неопределенный срок.

— Боюсь? — переспросил я. — Может быть, и так.

Я сомневался в этом, но время от времени забавно подвергать сомнению нашу уверенность в чем-либо.

— А что он такого может сделать опасного?

Я добавил в смесь на сковороде ананас, пророспую пшеницу, и пять-шесть раз быстро помешал.

— Он мог бы заявить, что выдумал тебя, что ты — его воображаемое будущее, потом уйти и оставить тебя наедине со всем тем, что ты не успел ему сказать.

Я поднял голову и взглянул на нее без улыбки, даже забыв потрясти бутылку с соевым соусом, так что, естественно, он и не подумал выливаться.

— Он так не поступит. Не сейчас, во всяком случае.

Когда-то его уход ничего бы для меня не значил. Но только не сейчас.

Она оставила этот вопрос и перешла к другому.

— Заметил ли он, что готовишь ты, а не я? — спросила она. — Как он к этому относится?

— Я готовлю для своей жены, говорю я ему, но вообще я очень мужественный... даже мои пироги такие крепкие!

Это, конечно, было неправдой. До того, как отказаться от сахара, я любил печь пироги. Их румяные корочки были нежны, как запеченное облако, но я скромнее самого Господа Бога. Мое благороднейшее качество, предмет моей величайшей гордости — полное отсутствие эго.

Говорят, что очень важно сильно нагреть пшеницу, потому что тогда она приобретает очень приятный ореховый вкус. В этот раз я нашел еще и полпакета измельченных орехов и бросил их на сковороду.

Лесли знакома с моими необычными принципами так же хорошо, как всякий, кто с ними не согласен, но она достаточно терпима, чтобы иногда меня послушать.

— Что ты рассказал ему о браке? — поинтересовалась она.

— Он еще не спрашивал. Думаешь, это его заинтересует?

— Он должен знать, что рано или поздно его это тоже ожидает. Если он — это ты, то он обязательно спросит, — сказала она. — Что ты ему ответишь?

— Я отвечу, что это будет самым счастливым самым тяжелым самым важным долговременным опытом в его жизни.

Я поднес ей попробовать чайную ложечку нашего ужина со сковороды. Хоть он еще не готов, подумал я, вежливость по отношению к родной душе никогда не повредит.

— Понравилось?

— Слишком хрустит, — сказала она.— Ужасно сухое.

— Мм.

Я поднял сковороду с плиты и, поднеся ее к крану, добавил туда около чашки воды, затем вернул ее на плиту еще минут на десять.

— Можно, я тебе помогу? — спросила она.

— Моя прелесть. Ты же работала в саду. Отдыхай.

Она подошла к шкафу, достала оттуда тарелки и вилки.

— Что ты ему скажешь?

— Сначала я расскажу ему свой секрет удачного брака, затем сообщу ему факты.

Я нашел соковыжималку и включил ее в сеть, достал из холодильника морковь.

Она улыбнулась мне.

— А ты мудрец! И в чем же твой секрет удачного брака?

— Перестань, Вуки, не стоит издеваться. Я обещал рассказать ему все, что знаю.

Я подставил под соковыжималку стакан.

— О'кей, — сказала она. — Ты не мудрец. Так в чем же твой секрет удачного брака?

Я нажал на кнопку и взял первую морковку. Сок получается райский, но наша машина — это шумный дьявол за работой.

— ПОСТУПАЙ ТАК, КАК СЧИТАЕШЬ ПРАВИЛЬНЫМ, — прокричал я, перекрывая скрежет вращающихся ножей. — ПУСТЬ ТВОЯ ЖЕНА ТОЖЕ ПОСТУПАЕТ ТАК, КАК СЧИТАЕТ ПРАВИЛЬНЫМ. И ЕСЛИ ВЫ НЕ СОГЛАШАЕТЕСЬ ДРУГ С ДРУГОМ, ЭТО НОРМАЛЬНО!

— Я НЕ СОГЛАСНА! — сказала она. — ПО-ТВОЕМУ, ДЛЯ НАС БУДЕТ НОРМАЛЬНЫМ ОБМАНЫВАТЬ, ЛГАТЬ И ОСКОРБЛЯТЬ ДРУГ ДРУГА, ЕСЛИ НАМ ПОКАЖЕТСЯ ЭТО «ПРАВИЛЬНЫМ». ТЕБЕ НУЖНО ДОБАВИТЬ, ЧТО ПРИЧИНА, ПО КОТОРОЙ ТВОЙ СЕКРЕТ ДЕЙСТВУЕТ, — ЭТО ГОДЫ ВЗАИМНОГО ДОВЕРИЯ, ГОДЫ ВЗАИМНОГО ИЗУЧЕНИЯ ХАРАКТЕРОВ! Я ЗНАЮ, ЧТО ДЛЯ ТЕБЯ НОРМАЛЬНО ПОСТУПАТЬ ТАК, КАК ТЫ СЧИТАЕШЬ ПРАВИЛЬНЫМ, НО ТОЛЬКО ПОТОМУ, ЧТО ТВОЕ И МОЕ ЧУВСТВА ПРАВИЛЬНОГО ПОЧТИ НЕ ОТЛИЧАЮТСЯ.

Наша соковыжималка работает так же быстро, как и шумит. Наполнился второй стакан, и я ее выключил.

— Разве ты не согласен? — спросила она во внезапно наступившей тишине.

— Нет.

Я потягивал свой морковный сок.

— Для нас всегда нормально поступать так, как мы считаем правильным. Без исключений.

Ее рассмешило мое упрямство, и я сам не смог удержаться от слабой улыбки.

— Помог тебе твой секрет спасти первый брак?

Я покачал головой.

— Было слишком поздно. Когда семейная жизнь начинает убивать в тебе человека, пора положить ей конец. У нас были настолько разные натуры, что быть теми, кем каждый из нас хотел быть, вместе было невозможно. Мы не просто перестали любить друг друга, но даже не могли находиться в одной комнате. А с этим уже ничего нельзя поделать.

— Я помню время, когда и мы с тобой не могли находиться в одной комнате, — поддразнила она.

Она сняла крышку со сковороды, снова пробуя ужин своей ложкой.

— Думаешь, нам стоит это заканчивать?

— Ты ведь голодна, не так ли? — спросил я.

Она кивнула с широко раскрытыми глазами.

— Такое острое...

— Еще минутку, — сказал я ей, выключая огонь раньше времени. — Ты была другой, Вуки. В те дни, даже когда я выходил из себя, я не мог забыть, как ты прекрасна. Были моменты, когда я выходил из дома, в отчаянии оттого, что ты не можешь понять, кто я, о чем я думаю или что я чувствую. Сидя за рулем в машине, я орал: «Боже, как Ты можешь требовать от меня, чтобы я жил с этой Лесли Пэрриш? Это же невозможно! Это невыполнимо!» И даже в те моменты ты оставалась для меня такой чертовски умной и до боли прекрасной. Развод был неизбежен, но я все равно тебя любил. Разве не странно?

Я перенес сковороду на стол и разделил волшебное блюдо на двоих.

— О, Риччи, развод не был неизбежен, — сказала она. — Это было просто мыслью отчаяния.

Отстаивать выводы, сделанные в прошлом, подумал я, не свидетельствует о мудрости. И даже если это не так, я все равно бы не стал. Сейчас уже не важно, был ли развод неизбежен или нет.

Если мы, стремясь жить в соответствии с наивысшим известным нам порядком, вынуждены расстаться с женой или мужем, мы расстаемся с несчастливым браком, взамен получая самих себя. Но если брак соединяет людей, которые уже обрели себя, что за прекрасное приключение начинается — с бурями, ураганами и всем-всем!

— Как только я перестал ожидать от тебя полного понимания,— сказал я, — как только я понял, что для нас в порядке вещей иметь различные идеи, приходить к различным выводам и поступать так, как каждый из нас считает нужным, в конце тупика вдруг открылась дорога. Меня больше не стесняли твои принципы, тебя больше не стесняли мои отличия.

— Верно, — сказала она. — И спасибо за ужин. Очень вкусно.

— Надеюсь, получилось не очень острым?

— Сейчас уже лучше.

Она отпила морковный сок.

— Дикки может и не спросить о браке.

— Он спросит, — сказал я. — Он спросит, как я думаю, зачем мы здесь? А я отвечу ему, что мы здесь для того, чтобы проявлять любовь в миллионах приготовленных для нас испытаний — новый миллион после каждого пройденного и новый миллион после каждого проваленного. И больше всего испытаний нас ждет в каждую минуту, каждый день и каждый год совместной жизни с другим человеком.

— Как мило, — сказала она. — Не знала, что ты придаешь браку такое значение.

— Важен не брак, — сказал я, — а любовь.

— Рада это слышать. Я считаю тебя замечательным, но иногда мне все же кажется, что ты — самый неспособный к любви мужчина. Я никогда не встречала человека — мужчину или женщину, — который мог бы вести себя так же холодно и равнодушно, как иногда ведешь себя ты. Когда ты чувствуешь угрозу, ты превращаешься в льдинку с шипами.

Я пожал плечами.

— А что мне остается? Я же не говорю, что я прохожу все испытания, я говорю только, что знаю об их существовании. Терпение, и когда-нибудь в другой жизни я стану таким же прекрасным человеком, каких и сейчас уже много. В данный момент я счастлив быть самим собой. Подозрительным, закованным в броню и обороняющимся...

— Нет, ты не такой плохой, — сказала она оживленно. — Ты уже долго не был подозрительным.

— Я напрашиваюсь на комплименты! — сказал я. — Что, даже совсем чуть-чуть?

— Передай Дикки, что я считаю тебя не самым худшим мужчиной в мире.

— Когда ты злишься, ты думаешь иначе.

— Нет. Ничего подобного, — сказала она. — Что еще ты собираешься рассказать ему о браке?

— Разница между браком и церемонией, — сказал я.— Я скажу ему, что брак — это не двое людей, бегущих через мост среди риса и лент, а подлинный мост, построенный усилиями двоих людей в течение всей их жизни.

Она отложила вилку.

— Риччи, это прекрасно.

— Мне надо было говорить с тобой, а не с Дикки, — сказал я.

— Говори с нами обоими, — сказала она. — Если это сделает тебя счастливее, я буду жить рядом со счастливым человеком.

— Я бы сказал ему и это. Жены и мужья не в силах сделать друг друга счастливыми или несчастливыми. Это только в нашей личной власти.

— С одной стороны, это так, но, если ты утверждаешь, что наши поступки не оказывают влияния на другого, я с тобой абсолютно не согласна.

— Влияние, — сказал я, — это наше испытание друг для друга. Ты можешь решить для себя быть счастливой независимо от того, что делаю я, и тогда, возможно, я буду радоваться, видя тебя счастливой, потому что мне нравится видеть тебя такой. Но это *я* делаю себя счастливым, а не ты.

Она покачала головой и терпеливо улыбнулась мне.

— Довольно странный взгляд на вещи.

Она считала это странной деталью моей логики, мешающей мне принимать в дар ее любовь. Я чувствовал себя носорогом, выбравшимся на тонкий лед, тем не менее решил все выяснить до конца.

— Если ты плохо себя чувствуешь, — сказал я, — но решаешь сделать меня счастливым, приготовив мне обед или согласившись куда-нибудь со мной пойти, ты думаешь, я буду счастлив, зная, что тебе плохо?

— Я бы не подала и виду, что мне плохо, и думала бы, что ты будешь счастлив.

— Но тогда ты превратилась бы в мученицу. Ты сделала бы меня счастливым, жертвуя собой, обманывая меня и притворяясь счастливой ради меня. Если бы это сработало, я бы чувствовал себя счастливым не потому, что ты действительно была счастлива, а потому, что я бы тебе поверил. Счастливым меня делаешь не ты и не твои поступки, а *моя вера.* А моя вера зависит только от меня и ни от кого другого.

— Это звучит так холодно, — сказала она. — Если все на самом деле так, почему я должна стараться сделать тебе приятное?

— Когда ты этого не хочешь, не надо и стараться! Помнишь, как ты проводила по восемнадцать часов в сутки в офисе, когда мы были завалены работой?

— Завалены были мы, но всю работу приходилось делать мне одной? — спросила она сладким голосом. — Да, я помню.

— А помнишь, как я был благодарен тебе за это?

— Конечно. Ты сидел там с хмурым лицом, обиженный и недовольный, как будто это тебя работа вымотала до смерти.

— Помнишь, сколько это длилось?

— Годы.

— И потому, что ты работала за меня, наши отношения были такими прекрасными?

— Кажется, я вспоминаю, что к концу этого периода я тебя не могла выносить! Я работала от зари до полуночи, а ты иногда весело заявлял, что собираешься немного полетать, потому что устал от работы в офисе. Тебе повезло, что я тебя вообще не убила!

Чем больше времени мы проводим за ненавистным нам делом, подумал я, тем меньше радости в нашем браке.

— Но в конце концов у тебя лопнуло терпение, — сказал я. — Ты сказала: к черту эту работу, к черту проклятого эгоиста Ричарда Баха, я хочу снова жить своей жизнью. Мне плевать на него, теперь я буду заботиться только о себе и получать от жизни *удовольствие*.

— Я так и поступила, — сказала она с озорным блеском в глазах.

— И что же произошло?

Она засмеялась.

— Чем счастливее я становилась, тем больше тебе это нравилось!

— Вот! Слышала, что ты сказала? Ты решила стать счастливой сама!

— Да.

— Но вместе с тобой и я стал счастливее, — сказал я, — несмотря на то, что ты уже не пыталась Сделать Меня Счастливым.

— Это точно.

Я три раза ударил по столу — палец вместо аукционного молотка.

— Думаю, что ты пытался сделать меня счастливее, — сказала она, — говоря мне, что не стоит так напрягаться в офисе.

— Конечно. Назад к дням, когда я пытался решить твои проблемы за тебя.

— Пытаться меня остановить тогда было глупо, — сказала она. — Это сегодня я могу оставить работу и развлекаться, потому что сейчас у нас другая жизнь. Работа, которую мы сегодня выполняем, уже не представляет для нас вопрос жизни или смерти. Мы можем ее делать, а можем и не делать — как захотим. В те дни работа была серьезным делом — вытащить тебя из путаницы финансовых и правовых проблем, которых, если ты помнишь, у тебя было немало, когда мы познакомились. И без моего труда ты не оказался бы в таком удобном положении сегодня. В лучшем случае, тебе пришлось бы покинуть страну, а что случилось бы с тобой в худшем, мне и подумать страшно. Поэтому, при таких высоких ставках, я выбрала работать изо всех сил. Если ты тогда хотел сделать меня счастливой, ты мог бы взяться за работу вместе со мной!

— Как ты не понимаешь? Я не хотел! Для меня та работа не имела значения! Мне было бы наплевать, если бы она вообще не была закончена! В те несколько раз, когда я пытался тебе помочь, я был несчастен и обижен, от этого все стало только хуже.

— Поэтому, конечно, я решила почти всю твою работу сделать сама, — сказала она, — чем доверить ее какому-то колючему враждебному троллю, который под видом «помощи» старается все запутать, потому что он, видите ли, чувствует себя обиженным.

— Не конечно. У тебя были и другие варианты. Но, хоть я и пытался Сделать Тебя Счастливой, у меня это не получилось, потому что я не был счастлив сам.

— Ты прав. У меня были другие варианты. Мне надо было позволить твоим проблемам добраться до тебя. Тогда бы ты получил урок, который вместо тебя пришлось получить мне, несмотря на то что я его уже знала. А мой другой урок был таким: в будущем, если ты еще раз все запутаешь, я не собираюсь лишать тебя ни одного твоего урока. Но, в действительности, ты совсем не пытался сделать счастливой меня, ты пытался сделать счастливым только себя — так же, как и сейчас.

Ого, подумал я. Разговор за ужином начинает превращаться в бурю?

— Разница между тогда и сейчас, — сказала она, — в том, что наши жизни изменились, и в сегодняшнем спокойствии и комфорте каждый из нас имеет шанс на счастье.

Я мгновение помолчал, обдумывая ответ. Мы прожили те годы вместе, но наши убеждения были такими различными, что сейчас в памяти у каждого из нас — свое прошлое.

— Это для Дикки, — спросила она, голубые, как море, глаза смотрят в мои, — или только для нас? Собираешься ли ты рассказать ему о наших ссорах?

— Может, и нет. Может быть, мне стоит ему сказать, что в совершенном браке ссор нет. Совершенство — это когда двое людей смотрят друг на друга и говорят: «Мы знали все заранее. Никаких ссор, никаких испытаний, никто из нас за полвека не изменился и не узнал ничего нового».

Эта картинка заставила ее улыбнуться.

— Смертельная скука, — сказала она. — Избегай трудностей, и ты никогда не научишься их преодолевать.

— Он должен узнать все. Мои рассказы о браке будут и мне напоминанием; Дикки же сможет взять из них то, что ему необходимо, а остальное отбросить. Я скажу ему главное из того, что мне удалось понять: никогда не предполагай, что твоя жена умеет читать мысли и понимает, кто ты, о чем ты думаешь и что чувствуешь. Такое предположение неизбежно ведет к болезненному разочарованию. Иногда она действительно может понимать и знать, но не жди от нее, что она будет понимать тебя лучше, чем ты ее. Будь счастливым, делая то, что тебе хочется. Если твое счастье вызывает в ней злобу, или если ты злишься, когда видишь ее счастливой, тогда у вас не брак, а эксперимент, который с самого начала был обречен на провал.

— Звучит так, будто брак ничем не лучше прыжка с обрыва. Ты *это* хочешь ему внушить?

— Я скажу ему, что брак не похож ни на что другое в нашей жизни. Родные души, сведенные вместе чудесным притяжением, встретившие друг друга благодаря невероятному совпадению и вместе противостоящие всем проблемам. Очаровательные проблемы и прекрасные испытания год за годом, но стоит утратить романтику, и утратишь силу, необходимую, чтобы преодолеть тяжелые времена и научиться любить. Утратив романтику, ты провалишь экзамен на любовь. После этого остальные экзамены не имеют значения.

— А как насчет детей?

— В этом вопросе я не компетентен, — сказал я. — Что еще?

— Что значит «В этом вопросе я некомпетентен, что еще»? У тебя ведь есть дети, и тебе, конечно, есть что сказать! Что ты ему скажешь?

Мое слабое место, подумал я. В том, что касается детей, от меня столько же пользы, как от наковальни в яслях.

— Я скажу ему, что чувство внутреннего пути приходит не только к взрослым. Что единственное руководство, которое мы даем детям, — наш собственный пример как высшего, наиболее развитого человеческого существа в соответствии с нашими взглядами. Дети могут понять, а могут и не понять. Они могут полюбить нас за наш выбор, а могут и проклясть землю, по которой мы ступали. Но дети являются нашей собственностью и подконтрольны нам не больше, чем мы являлись собственностью наших родителей и были им подконтрольны.

— Ты действительно чувствовал себя айсбергом, говоря это, — спросила Лесли, — или мне только показалось, что это прозвучало на сорок градусов ниже нуля?

— Разве это не правильно?

— Это может быть правильным до некоторой степени, — смягчилась она. — Безусловно, наши дети не являются нашей собственностью, но я чувствую, что здесь чего-то не хватает. Может быть, немного мягкости?

— Ну, конечно, *ему* я скажу все это гораздо мягче!

Она безнадежно покачала головой и продолжила.

— У брака есть еще один секрет.

— Какой?

У меня свой секрет, подумал я, почему бы ей не иметь свой?

— Когда смотришь на нас, — сказала она, — или на любую другую счастливую пару, понимаешь, что на самом деле мы любим только один или два раза в жизни. Любовь — это сокровище. Вот мой секрет.

Тридцать четыре

Когда ужин был закончен и тарелки убраны со стола, я забросил в машину параплан и поехал к горе. Движение происходило и в моем сознании: я искал своего маленького друга.

Холм, на вершине которого он сидел, был тем же, что и в прошлый раз, но теперь на его склонах зеленели молодые деревца, а луг простирался до самого зеленого горизонта.

Он обернулся ко мне в то же мгновение, как я его увидел.

— Расскажи мне о браке.

— Конечно. А почему ты спрашиваешь?

— Я никогда не верил, что со мной это произойдет, но ведь теперь я это знаю. Я неподготовлен.

Я с трудом сдержал улыбку.

— Это не страшно.

Он нетерпеливо нахмурился.

— Что мне необходимо знать?

— Только одно слово, — сказал я. — Запомни только одно слово, и все будет в порядке. Слово «различие». Ты отличаешься от всех остальных людей в мире, в том числе — и от женщины, которая станет твоей женой.

— Уверен, что ты сообщаешь мне нечто простое, потому что думаешь, что это просто, но на самом деле это может обернуться совсем не таким.

— Простое не всегда очевидно, Капитан. «Мы разные» — это открытие, к которому приходят немногие браки, истина, которая многим неглупым людям открывается только через много лет после того, как уляжется пыль развода.

— Разные, но равные?

— Вовсе нет, — ответил я.— Брак — не спор о равенстве. Лесли лучше меня разбирается в музыке, например. Мне никогда не достичь того, что она знала уже в двенадцать лет, не говоря уже о том, что она успела узнать с тех пор. Я могу потратить на музыку остаток своей жизни, но никогда не узнаю ее так, как знает Лесли, и не научусь играть так же хорошо, как она. С другой стороны, она вряд ли когда-нибудь научится управлять самолетом лучше меня. Она начала на двадцать лет позже и не сможет меня догнать.

— Во всем остальном тоже неравенство?

— Во всем. Я не так организован, как она, а она не так терпелива, как я. Она способна страстно отстаивать свою позицию, я же — только сторонний наблюдатель. Я — эгоист, что в моем понимании значит «человек, поступающий в соответствии с его личными долговременными интересами», она же ненавидит эгоизм, что в ее понимании значит «немедленное самопожертвование невзирая на последствия». Иногда она ждет от меня подобных жертв и очень удивляется, когда получает отказ.

— Таким образом, вы разные, — сказал он. — Наверное, как и любые муж и жена?

— И почти все они об этом забывают. Когда я забываю и жду от Лесли эгоизма, а она от меня — организованности, каждый из нас предполагает, что качества, приписываемые другому, в нем так же развиты, как и в нас самих. Это неправильно. Брак — не состязание, где каждый должен проявить максимум своих возможностей, а сотрудничество, построенное на наших различиях.

— Но, могу поспорить, иногда эти различия способны вывести вас из себя, — сказал он.

— Нет. Выйти из себя можно, забывая об этих различиях. Когда я предполагаю, что Лесли — это я сам в другом теле, что ее принципы и ценности в точности совпадают с моими и что в каждый момент времени она знает все мои мысли, это напоминает спуск в бочке по огромному водопаду. Я продолжаю предполагать, а уже в следующую минуту удивляюсь: почему это я вдруг оказался внизу и что это за обручи и доски болтаются у меня на шее, когда я, насквозь промокший, словно старая мочалка, пробираюсь между камнями? Я чувствую себя виноватым, во всем, пока я не повернусь лицом к тому, что мы разные, и отпущу это.

Он заинтересованно прищурился:

— Виноватым? Но почему?

— Вспомни свои правила, — сказал я. — Вина — это наше стремление изменить прошлое, настоящее или будущее в чью-то пользу. Вина для брака — что айсберг для «Титаника». Наткнись на нее в темноте, и пойдешь ко дну.

Его голос погрустнел.

— А я-то надеялся, что женщина, на которой я женюсь, будет немножко похожей на меня.

— Нет! Надеюсь, нет, Дикки! Мы с Лесли похожи только в двух вещах: мы оба считаем, что в нашем браке есть некоторые безусловные ценности и приоритеты. Мы также соглашаемся в том, что сейчас мы влюблены друг в друга гораздо сильнее, чем были, когда только встретились. Во всем остальном, в большей или меньшей степени, мы различны.

Это его не убедило.

— Я не уверен, что путешествия по водопадам смогут сделать мою любовь к кому-либо сильнее.

— Но ведь в бочку меня закатала не Лесли, Кэп, а я сам! Я думал, что знаю ее, а сейчас, глядя назад... Как я мог быть таким болваном? У нее тоже было относительно меня несколько ложных предположений, но все равно, какое это удовольствие — пройти такой длинный путь с человеком, которого любишь! После стольких лет рядом с ней даже семейные бури доставляют удовольствие, когда они позади. Иногда ночью, когда я обнимаю ее, у меня возникает чувство, что мы познакомились совсем недавно и только-только перешли на «ты»!

— Трудно представить, — сказал он.

— Думаю, это невозможно представить, Дикки. Это нужно прожить. Желаю тебе терпения и опыта.

Я оставил его в тишине обдумывать это. Только позже я вдруг понял, что забыл сообщить ему свой секрет удачного брака.

Тридцать пять

Каждая вещь определяется нашим сознанием. Самолеты становятся живыми существами, если мы в это верим. Когда я мою Дейзи, полирую ее и забочусь о каждом ее скрипе, прежде чем он превратится в крик, я знаю, что однажды придет день, когда она сможет вернуть мне мою заботу, поднявшись в воздух или сев, если будет необходимо, в условиях, которые покажутся невероятными. За сорок лет, проведенные в воздухе, такое со мной уже случилось однажды, и я не уверен, что мне не понадобится ее расположение вновь.

Так что мне не казалось странным лежать в то утро на бетонном полу нашего ангара, вытирая следы от выхлопа и пленку масла, накопившиеся за три часа полета на алюминиевом брюхе Дейзи.

Каждую ночь, когда мы засыпаем, в нашем сознании совершается перемена, подумал я, слегка смачивая тряпку в бензине, — но она также совершается и в течение дня, когда мы делаем одно, а думаем о другом. Мы засыпаем и просыпаемся, одни сны сменяют другие сотню раз в день, и никто не рассматривает это как смену состояний.

Все, что я мог видеть, были джинсы от колен и ниже, однако ноги были обуты в старомодные теннисные туфли, поэтому я понял, кому они принадлежат.

— Правда ли, что все — в твоей ответственности? — спросил Дикки. — Все в твоей жизни? Ты несешь всю тяжесть?

— Все, — ответил я, радуясь тому, что он меня нашел. — Не существует такого понятия, как *массы*, существуем только мы — простые отдельные индивиды, строящие свои простые отдельные жизни в соответствии с нашими простыми отдельными желаниями. Это не так тяжело, Дикки. Нести ответственность за все — просто забава, и мы — индивиды — делаем довольно бойкий бизнес, помогая друг другу.

Он уселся на пол, скрестив ноги, и стал наблюдать, как я работаю.

— Например?

— Например, бакалейщик облегчает нам поиск пищи. Создатель фильмов развлекает нас разными историями, плотник кроет крышу над нашими головами, авиастроитель выпускает на рынок прекрасную Дейзи.

— А если бы Дейзи не существовала, ты бы построил ее сам?

— Если бы мне пришлось строить самолет, то он, наверное, получился бы меньше, чем Дейзи. Что-то сверхлегкое, вроде мотодельтаплана.

Я приложил тряпку к банке с полирующим составом. Даже немного его хватит, чтобы удалить с Дейзи самые трудные пятна.

— Ты отвечал бы за добывание пищи, даже если бы не осталось ни одного магазина?

— Кто бы еще это за меня делал?

— И ты бы сам убивал коров?

Полируя, я заметил трещину в фибергласе, которая начиналась следом от удара возле антенны дальномера. Ничего страшного, но я отметил про себя, что надо будет высверлить фонарь по контуру трещины и стянуть ее.

— Лесли и я больше не едим коров, Дикки. И мы не стали бы их убивать. Мы решили, что, если мы не соглашаемся с отдельными этапами этого процесса, то не можем согласиться и с его результатом.

Он подумал.

— Вы не носите кожу?

— Я никогда больше не куплю еще одно кожаное пальто, а также, возможно, еще один кожаный ремень, но я мог бы купить еще одни кожаные туфли, если бы у меня не было выбора. Даже тогда я мог бы дойти до кассы с туфлями в коробке, и все-таки не решиться их купить. Смена принципов — медленный процесс, и мы узнаем, что они изменились, только когда ранее привычные и правильные для нас вещи больше такими не кажутся.

Он кивнул, ожидая этого.

— Все индивидуально.

— Да.

— Ты отвечаешь за свое образование? — спросил он.

— Я сам выбирал, какое образование мне хотелось бы получить.

— Твои развлечения?

— Продолжай, — сказал я.

— Твой воздух, твою воду, твою работу...

—...мои путешествия, мое поведение, мое общение, мое здоровье, мою защиту, мои цели, мою философию и религию, мои успехи и неудачи, мой брак, мое счастье, мою жизнь и смерть. Я в ответе перед собой за каждую свою мысль, каждое произнесенное мной слово и каждое движение. Нравится мне это или нет, но это так, поэтому много лет назад я решил принять, что мне это нравится.

Куда он ведет своими вопросами, подумал я. Это что, испытание?

Я натирал воском уже отполированную поверхность: осторожно — вокруг турбулизаторов, торчащих, словно частокол из ножей, более живо — вокруг радиоантенн, и размашисто — на остальных участках. Любопытство это или тест, я решил, что ему необходимо знать.

— То есть все в мире образов ты делаешь для себя сам, — сказал он.— Ты сам построил целую цивилизацию?

— Да, — ответил я. — Хочешь узнать как?

Он засмеялся.

— Ты бы свалился оттуда, если бы я сказал, что не хочу.

— Мне все равно, — солгал я. — Ну хорошо, свалился бы.

— Расскажи. Как ты сам построил целую свою цивилизацию?

— Ты и я выбрали рождение в этой иллюзии пространства и времени, Дикки, и вскоре оказались у ворот сознания, оценивая и выбирая, решая, принимать или не принимать те или иные идеи, мнения или вещи, предлагаемые нашим временем. Чтение — да, побег-из-дома — нет, игрушки — да, доверять родителям — да, верить в милитаристскую пропаганду — да, авиамодели — да, командные виды спорта — нет, пунктуальность — да, мороженое — да, морковь — нет, работа по дому — да, курение — нет, пьянство — нет, эгоизм — да, наркотики — нет, вежливость — да, самодовольство и самоуверенность — да, охота — нет, оружие — нет, банды — нет, девушки — да, дух школы — нет, колледж — нет, армия — да, политика — нет, на-службе-у-других — нет, брак — да, дети — да, армия — нет, развод — да, новый брак — да, морковь — да... Каждый из нас создает свой точный и уникальный цифровой портрет, где «да» и «нет» представлены крошечными точками. Чем решительнее мы, тем точнее наш портрет.

Все, что находится в мире моего сознания — единственном существующем для меня мире, — попадает туда только с моего согласия. То, что мне не нравится, я могу изменить. Никакого хныканья, никаких жалоб, что я, мол, страдаю, потому что кто-то меня подвел. За все отвечаю только я.

— А что ты делаешь, когда люди тебя все-таки подводят?

— Я их убиваю, — сказал я, — и двигаюсь дальше.

Он нервно засмеялся.

— Ты ведь шутишь, не так ли?

— Мы не можем ни убивать, ни создавать жизнь, — сказал я. — Помни, *Жизнь Есть*.

Я закончил с брюхом Дейзи, выполз из-под нее и пошел за стремянкой для вертикальных стабилизаторов, расположенных в девяти футах от земли.

— В мире образов, — спросил он осторожно, — приходилось ли тебе убивать?

— Да. Я убивал мух, я убивал москитов, я убивал муравьев и, грустно говорить, пауков тоже. Я убивал рыбу, когда мне было приблизительно столько же, сколько тебе сейчас. Все они — неуничтожимые проявления жизни, но я искренне верил, что убиваю их, и эта вера по сей день иногда отягощает мою душу, пока я не напоминаю себе истинное положение вещей.

— Убивал ли ты человеческие существа в этом мире образов? — спросил он, тщательно подбирая слова.

— Нет, Дикки, не убивал.

Только благодаря великолепным совпадениям во времени, подумал я. Попади я чуть раньше в ВВС, и мне пришлось бы убивать людей в Корее. Не подай я в отставку — и чуть позже я бы убивал во Вьетнаме.

— А тебя когда-нибудь убивали?

— Никогда. Я существовал до начала времени и буду существовать после его конца.

Он явно разошелся, раздражаясь.

— Хорошо, в мире образов когда-нибудь образ тебя как ограниченной...

— Ох уж, *этот* мир! — сказал я. — Да, меня убивали тысячу миллионов триллионов раз, бесконечное число раз.

Дикки взобрался по лестнице на стабилизатор, прошел по нему футов на пять от киля и сел лицом ко мне, скрестив ноги и подавшись вперед от любопытства. Никакому другому ребенку не удалось бы сюда пробраться без моего кудахтанья о теннисных туфлях, царапающих краску, нагрузке на стабилизатор и опасности падения с пяти футов на бетонный пол. Но Дикки мог сидеть там, где захочет. Вот в чем прелесть бесплотных, подумал я, и странно, что мы не приглашаем их чаще.

— Это перевоплощения, — сказал он. — Ты веришь в перевоплощения?

Я распылил жидкий воск по верхней половине киля и протер его.

— Нет. Перевоплощение означает упорядоченную последовательность жизней на этой планете, правильно? Но в этом есть некоторая ограниченность — так, слегка тесновато в плечах.

— Что вам больше подходит?

— Бесконечное число жизнеобразов, пожалуйста, некоторые с телом, некоторые — без; некоторые на планетах, некоторые — нет; все они одновременны, потому что не существует такого понятия, как время, и ни один из них не реален, потому что существует только одна Жизнь.

Он нахмурился.

— Почему бесконечное-число-жизнеобразов, а не просто перевоплощение?

Когда-то давно, вспомнил я, это было моим любимым вопросом: «Почему именно так, а не иначе?» Многих взрослых это выводило из себя, но мне необходимо было знать.

— Первое не более реально, чем второе, — сказал я ему. — Пока мы не осознаем, что *Жизнь Есть*, мы просто не верим ни в перевоплощения, ни в бесконечное-число-жизнеобразов, ни в рай-и-ад, ни в все-вокруг-темнеет, мы *живем* этими системами... они представляют для нас истину, пока мы даем им власть.

— Тогда мне непонятно: почему бы тебе просто не признать, что *Жизнь Есть*, и прекратить играть во все эти игры?

— Мне *нравятся* игры! Если кто-то сомневается, что мы живем ради развлечения, предложи ему или ей подробный отчет об их будущем, где будет расписано каждое событие, каждый исход на годы вперед. Много ты успеешь рассказать, прежде чем тебя остановят? Неинтересно знать, что случится дальше. Я получаю удовольствие от шахмат, даже зная, что это игра. Мне нравится пространство-время, хоть оно и нереально.

— На помощь! — сказал он. — Если все нереально, почему ты выбираешь бесконечное число жизней, а не перевоплощение или превращение-в-ангела?

— Почему шахматы, а не шашки? — спросил я. — В них больше игровых комбинаций! Если все мои жизнеобразы существуют одновременно, должна быть возможность их пересечения. Должна быть возможность найти Ричарда, который выбрал Китай в настоящем, которое я называю «семь тысяч лет назад», или того Ричарда, который в 1954 стал судостроителем, а не летчиком, или проксимида, выбравшего жизнь на космическом флоте Центавра 4 в настоящем — миллиарде лет отсюда. Если существует только Настоящее, то должен существовать и способ всем нам встретиться. Что знают они такого, чего не знаю я?

Любопытное выражение на его лице, скрытая усмешка.

— Ну и как, получается?

— Только что-то неясное моментами, — сказал я.

— Гм.

Он снова улыбнулся этой странной улыбкой, как если бы не я, а он был здесь учителем. Мне нужно было тогда спросить его, чему он так улыбался, но я пропустил это, не обратив особого внимания и отнеся его улыбки к саркастическим.

— Но доказательство и не требуется, — сказал я, спускаясь, чтобы переставить стремянку к переднему краю левого стабилизатора.— Жизнь не ограничивает нашу свободу верить в границы. Пока мы продолжаем наш роман с формой, я предпочитаю, чтобы мы поднимались от одной ограничивающей веры к другой, взращивая время нашей жизни на пути, где мы перерастаем ограничения игры, независимо от цвета, независимо от формы, которую они принимают, находя радость в новых игрушках.

— Игрушки? В бесконечном будущем? — переспросил он. — Я уже было подумал, что обгоняю твою мысль. Я думал, ты собираешься мне сказать, что следующая жизнь будет необусловленной любовью.

— Нет. Безусловная любовь не вписывается ни в пространство-время, ни в шахматы, футбол или хоккей. Течение игры определяют правила, необусловленная же любовь не признает никаких правил.

— Приведи какое-нибудь правило.

— Сейчас...

Я закончил левый стабилизатор, спустился и перенес стремянку к правому, взобрался и начал распылять воск по его поверхности.

— Самосохранение — правило. В тот момент, когда мы перестаем беспокоиться о своей жизни, когда мы сдвигаем наши ценности за пределы пространства-времени, мы внезапно обретаем способность любить безусловно.

— На самом деле?

— Попробуй, — сказал я.

Я отполировал переднюю кромку стабилизатора.

— Как?

Кили сверкали посреди ангара, словно две скульптуры из слоновой кости. Я перешел к стабилизатору.

— Представь себе, что ты — духовно развитая личность, лидер, проповедующий непротивление злу насилием, и ты поклялся освободить свою страну от тирана. Ты пообещал ему организовывать гигантские демонстрации протеста в столице до тех пор, пока он не отречется.

— Я так и пообещал? Может, я и развит духовно, — сказал Дикки, — но не шибко умен.

Я улыбнулся. Мой отец так говорил: «не шибко умен».

— Тебя предупредили, — сказал я. — Люди тирана идут за тобой, они собираются тебя убить. Ты напуган?

— Да! — сказал Дикки. — Где мне укрыться?

— Нигде. Ты развит духовно, помни. Поэтому сейчас же, сию минуту, отбрось самосохранение, правила, тревогу за свою жизнь. Это мир образов, а у тебя есть твой настоящий дом, более знакомый-и-любимый, чем Земля, и ты будешь рад туда вернуться.

Я полировал Дейзи, пока он сидел на стабилизаторе, представляя все это с закрытыми глазами.

— О'кей, — сказал он. — Я отбросил тревогу. Мне больше ничего не нужно. Я больше ни в чем не нуждаюсь на Земле. Я готов отправиться домой.

— Вот к твоим дверям подходят убийцы. Ты боишься?

— Нет, — ответил он, представляя. — Они не убийцы, они мои друзья. Мы — актеры в пьесе. Мы выбираем роли и играем их.

— Они достают мечи. Ты боишься их?

— Я их люблю, — сказал он.

— Вот, — сказал я. — Теперь ты знаешь, на что похожа безусловная любовь. Не нужно быть святым, каждый на это способен; отбрось пространство-время, и будет уже неважно, убьют они тебя или нет.

Через минуту Дикки открыл глаза и передвинулся к концу стабилизатора, чтобы я мог отполировать участок, на котором он сидел.

— Интересно. Справедливо ли обратное? Чем больше я забочусь о самосохранении, тем меньше я способен на безусловную любовь.

— Можем выяснить.

— О'кей.

Он закрыл глаза в ожидании.

— Представь себе, что ты — мирный и скромный фермер, — сказал я. — У тебя есть три вещи, которые тебе дороже всего на свете: твоя семья, твоя земля и твои нарциссовые поля. Ты и твоя жена растите детей и нарциссы в той же долине, которую возделывали твои родители. Ты родился на этой земле и здесь же собираешься умереть.

— Ого, — сказал он. — Что-то должно произойти.

— Ага. Скотоводы, Дикки. Им нужна твоя ферма, чтобы проложить прямую дорогу к железнодорожной ветке, а ты отказался ее продать. Они угрожали тебе, но ты стоял на своем. Теперь они перешли от угроз к действиям: сегодня в полдень они собираются захватить твою ферму силой. Отдай свою землю и оставь умирать свои цветы, либо умрешь сам.

— Ничего себе, — сказал он, представляя.

— Ты напуган?

— Да.

— Уже почти полдень, Дикки. Он уже едут, дюжина вооруженных мужчин верхом на лошадях, в облаке пыли, стреляя из револьверов, гоня стадо лонгхорнов на твои зеленые поля. Испытываешь ли ты к ним безусловную любовь?

— НЕТ! — сказал он.

— Вот видишь...

— Я собрал всех соседей, — сказал он. — У каждого из нас многозарядное ружье; вдоль ограды я закопал динамит. Только ступите на мои цветы, вы, крутые парни, как получите такой пинок, что побежите обратно еще быстрее, чем пришли сюда! Только посмейте нас тронуть, и это будет последнее, что вы сделаете в вашей жизни!

— Ты понял идею, — сказал я, улыбаясь его воинственности. — Видишь, как это отличается от безусловной...

— Не останавливай меня, — сказал он. — Дай мне взорвать их к чертям!

Я рассмеялся.

— Дикки, это всего лишь мысленный эксперимент, а не резня!

Он открыл глаза.

— Боом... — сердито произнес он. — Никто не отберет мою землю!

Я усмехнулся, пересадил его на верх фюзеляжа и, передвинув стремянку, начал полировать правое крыло Дейзи.

— Значит, безусловной Любовь становится только тогда, — произнес он наконец, — когда ее перестают заботить наши игры.

— Наши игры и наши цели, — сказал я. — Ни самосохранение, ни справедливость, ни мораль, ни совершенствование, ни образование, ни прогресс. Она любит нас такими, каковы мы есть, а не какими мы хотим казаться. Поэтому, наверное, смерть — такой шок. В ней наиболее сильно проявляется контраст между ролью и реальностью. Те, кому удалось вернуться буквально с того света, говорят, что эта любовь обрушивается, словно молот.

— И она одинакова для скотоводов и для фермеров, разводящих цветы?

— Для убийц и жертв, кротких и чудовищ. Одинаковая для всех. Абсолютная. Всеобъемлющая. Безусловная. Любовь.

Дикки лег на фюзеляж, прижавшись щекой к холодному металлу и наблюдая, как я работаю.

— Все эти вещи, которые ты мне рассказываешь, — откуда ты их узнал?

— Я надеялся, что ты это знаешь, — сказал я. — Сколько я себя помню, для меня всегда было важно: «Как устроена Вселенная? Когда она появилась»?

Я ожидал, что он что-нибудь мне сообщит, но если он и знал, в чем кроются истоки этого любопытства, то не собирался говорить.

— Откуда ты знаешь, что твои ответы правильны? — спросил он.

— Я этого и не знаю. Но каждый вопрос создает внутреннюю напряженность, которая потрескивает во мне, пока не находится ответ. Когда вопрос соприкасается с ответом, он заземляется на интуицию, происходит голубая вспышка, и напряженность уходит. Она не сообщает, «правильно» или «неправильно», а просто: «ответ получен».

Ого, подумал я в наступившей тишине, вмятина на передней кромке... мы, должно быть, попали в сгусток воздуха во время последнего полета.

— Приведи пример, — попросил он.

Я медленно полировал крыло, вспоминая.

— Когда я кочевал по стране, — начал я, — торгуя на пастбищах Среднего Запада полетами на старом Флите, некоторое время я ощущал вину. Честно ли было с моей стороны жить подобным образом, летя за ветром и зарабатывая этим на жизнь, когда другие люди вынуждены трудиться с девяти и до пяти? Но ведь не каждый может вести кочевую жизнь, думал я.

— Это и было твоим вопросом? — сказал он.

— Это было той самой напряженностью, гудевшей во мне много недель: все не могут быть кочевниками. Почему же я не живу как другие? Справедливо ли, что я имею такие привилегии?

Он не видел эту картину: смешной, раздражительный, покрытый маслом авиатор, ночующий под крылом своего самолета, зарабатывающий долларовую бумажку с полета и мучающийся оттого, что он — самый счастливый парень в мире.

— Каков же был твой ответ? — спросил он, торжественный, как сова.

— Я думал об этом ночами, готовя лепешки на костре. Кочевник — чрезвычайно романтическая профессия, думал я, но таковы и профессии юриста, актера. Если бы все были актерами, то в «Желтых Страницах»* остался бы только один раздел — *А*, актеры. Ни летных инструкторов, ни адвокатов, ни полиции, ни врачей, ни магазинов, ни строительных компаний, ни киностудий, ни продюсеров. Одни актеры. И наконец я понял. Все не могут

---

* Телефонный справочник.

быть кочевниками. Все не могут быть юристами, или актерами, или малярами. Все не могут заниматься чем-то одним!

— Это и был ответ?

— В моем сознании, Дикки, произошел взрыв и всплеск, как будто огромный кит поднялся с большой глубины на поверхность:

Все не могут заниматься тем, чем хотят, *но кто-угодно может**.

— О, — сказал он, тоже пораженный этим всплеском.

— С того момента я перестал думать, что нечестно с моей стороны быть тем, кем я хочу быть.

Я продолжал полировать крыло в тишине. Он обдумывал эту идею.

— А я могу стать тем, кем захочу? — спросил он. — Даже если это не будешь ты?

— Особенно если это не буду я, — сказал я ему. — Я думаю об этом время от времени, но мое место уже занято. Все места уже заняты, Капитан, кроме твоего.

* Здесь игра слов: «*Everybody* can't do any one thing, *but anybody can*!»

Тридцать шесть

Шепот в темноте.

— Ты ведь не будешь учить его эгоизму, правда?

На часах горело 3:20. Откуда Лесли узнала, что я не сплю? Откуда олень знает о том, что в его лесу бесшумно упал лист? Она услышала, как изменилось мое дыхание.

— Я не учу его ничему, — прошептал я в ответ. — Я говорю ему то, что считаю истинным, а он должен сам выбрать то, что ему нужно.

— Почему ты шепчешь? — спросила она.

— Я не хочу тебя разбудить.

— Ты уже разбудил, — прошептала она. — Твое дыхание изменилось минуту назад. Ты думаешь о Дикки.

— Лесли, — сказал я, проверяя ее. — Что я делаю сейчас?

Она прислушалась в темноте.

— Ты моргаешь глазами.

— НИКТО НЕ В СОСТОЯНИИ УГАДАТЬ В ТЕМНОТЕ, ЧТО КТО-ТО ДРУГОЙ МОРГАЕТ!

Молчание. Потом шепот.

— Хочешь, чтобы я извинялась за свой хороший слух?

Я вздохнул.

Короткий вызывающий шепот.

— Я не собираюсь этого делать.

— А что я делаю сейчас?

— Не знаю.

— Я улыбаюсь.

Она повернулась ко мне и обвила себя моей рукой в темноте.

— О чем ты подумал, что это тебя разбудило?

— Ты будешь смеяться.

— Не буду. Честное слово.

— Я думал о добре и зле.

— О, Риччи! Ты просыпаешься в три часа ночи, думая о добре и зле?

— Ты все-таки смеешься? — спросил я.

Она смягчилась.

— Я просто спросила.

— Да.

— О чем ты думал? — спросила она.

— О том, что я впервые понял... их не существует.

— Не существует добра и зла?

— Нет.

— Что же тогда?

— Существуют счастье и несчастье.

— Счастье — это добро, а несчастье — зло?

— Абсолютно субъективно. Это все только в нашей голове.

— Тогда что значит быть счастливым или быть несчастным?

— Что это значит для тебя? — спросил я.

— Счастье — это радость! Огромное удовольствие! Несчастье — это депрессия, безнадежность, отчаяние.

Мне следовало бы знать. Я было предположил, что ее слова будут и моими: счастье — это ощущение благополучия, несчастье — его отсутствия. Но моя жена всегда была более пылкой, чем я. Я сказал ей свое определение.

— Думаешь, только чувства благополучия достаточно? — спросила она.

— Мне нужно определение, в котором не было бы пятидесятифутовой пропасти между вершиной счастья и дном несчастья. Как бы ты назвала то, что находится между ними?

— Я бы назвала это «Все хорошо».

— У меня нет такого чувства, — сказал я. — У меня есть чувство благополучия.

— О'кей, — сказала она. — Что дальше?

— Помоги мне найти любую ситуацию, в которой Добро не совпадает в сердце со словами «делает меня счастливым». Или ситуацию, в которой Зло не совпадает со словами «делает меня несчастным».

— Любовь — это добро, — сказала она.

— Любовь делает меня счастливым, — ответил я.

— Терроризм — это зло.

— Милая, ты способна на большее. Терроризм делает меня несчастным.

— Добро, когда мы с тобой занимаемся любовью, — сказала она, прижимаясь ко мне в темноте своим теплым телом.

— Это делает нас счастливыми, — сказал я, отчаянно цепляясь за интеллект.

Она отстранилась.

— Риччи, к чему ты ведешь?

— Как бы я на это ни смотрел, выходит, что мораль определяем мы сами.

— Конечно, — сказала она. — И это тебя разбудило?

— Разве ты не понимаешь, Вуки? Добро и зло — не то, что нам внушили родители, церковь, государство или кто-нибудь еще! Каждый из нас сам решает, что ему считать добром, а что — злом. Автоматически — выбирая, что он хочет делать!

— Ого, — сказала она. — Пожалуйста, никогда не пиши об этом в своих книгах.

— Я только размышляю. И странно, что я никак не могу это обойти.

— Пожалуйста...

— Вот, к примеру, — сказал я, — в Книге Бытия о сотворении мира сказано так: *И увидел Бог, что это хорошо.*

— Ты хочешь сказать, это значит, что Бог был счастлив?

— Конечно!

— Ты же не веришь в Бога, тем более в такого, который способен видеть, — сказала она, — или в котором чувства больше, чем в арифметике. Как же твой Бог может быть счастлив?

— Автор Бытия, глупец, не посоветовался со мной, прежде чем взяться за перо. В его книге Бог полон чувств — радуется и печалится, сердится, интригует и мстит. Добро и зло не были абсолютами, они были мерой счастья Бога. Он писал эту историю и думал: «Если мне кажется, что от этого Бог был бы счастлив, я назову это "добром"».

Меня раздражала темнота.

— Мне необходимы примеры ситуаций, в которых люди используют слова «добро» и «зло», но сейчас темно и я не могу их искать.

— Это хорошо.

— Это делает тебя счастливой? — спросил я.

— Конечно. Иначе бы ты уже был на ногах, включая свет, компьютер, доставая книги и болтая без умолку, и нам пришлось бы не спать всю ночь.

— То есть ты счастлива, что сейчас темно, и я, по всей вероятности, не смогу беспокоить тебя своими разглагольствованиями о добре и зле всю ночь. Для тебя это действительно «хорошо».

— Только не вздумай написать об этом, — сказала она. — Иначе каждый экстремист... нет, каждый «нормальный» человек в стране, бодрствующий допоздна, будет занят пропусканием твоих книг через измельчитель.

— Лесли, в этом нет ничего, кроме любопытства. Осознание того, что мораль — дело сугубо личное, вовсе не превращает ее в нечто противоположное; мы не становимся маньяком-убийцей в ту же секунду, как осознаем, что можем им стать, если захотим. Мы рассудительны, добры, вежливы, любим друг друга, рискуем своей жизнью, чтобы выручить кого-то из беды, потому что *нам нравится быть такими*, а не потому, что мы боимся вызвать Божий гнев или отцовское неодобрение. *Мы* в ответе за наш характер, а не Бог или родители.

Она была непреклонна.

— Пожалуйста, не надо. Если ты напишешь, что добро — это то, что делает нас счастливыми, что получится? «Ричард Бах пишет, что добро — это то, что делает нас счастливыми. Я люблю красть поезда, значит, кража поездов — это добро. Как можно преследовать меня за то, что я совершил добро, притащив домой локомотив компании в сумке для завтраков? Как-никак, а это —

идея Ричарда Баха». И ты будешь сидеть на скамье подсудимых рядом с каждым счастливым железнодорожным вором...

— Тогда я вынужден буду свидетельствовать в суде, — сказал я. — Ваша честь, прежде чем перейти к обвинению, примите во внимание последствия. Допустим, нам доставит огромное удовольствие смыться с чужой дизельной турбиной, то есть на момент совершения такой поступок будет казаться нам добром. Но, на самом деле, добром для нас он будет только в том случае, когда его последствия тоже доставят нам удовольствие, иначе нам следует отказаться от подобной выходки.

Она вздохнула, храня невысказанными нетерпеливые вопросы.

— Прошу снисхождения, Ваша честь, — сказал я. — Каждое действие имеет вероятные, возможные и непредвиденные последствия. Когда все эти последствия совпадают с интересами длительного благополучия лица, совершающего данное действие, тогда добро проистекает как из самого действия, так и из каждого его последствия в отдельности. «Вероятно, меня не поймают» — не то же самое, что «То, что я сейчас собираюсь сделать, принесет мне ощущение благополучия на всю мою жизнь».

Ваша честь, я заявляю, что, если уж подсудимый имеет несчастье находиться здесь, в зале суда, *то в действительности он не действовал в соответствии со своими интересами*, пряча этот локомотив в свою сумку для завтраков, поэтому сейчас он, по определению, обвиняется также в глупости, раз его кражу удалось раскрыть!

— Изобретательно, — сказала Лесли. — Но как быть с тем, что добро определяется на основе всеобщего соглашения, что добро — это то, что большинство людей на протяжении многих веков находили положительным и жизнеутверждающим? И подумал ли ты о том, что провести остаток жизни в суде, изобретая подобные аргументы, может не совпасть с твоими собственными интересами и, следовательно, быть Злом? Может, оставим это и будем наконец спать?

— Если большинство людей считают добром убивать пауков, — сказал я,— значит, мы творим зло, отпуская их? Мы что, должны жить в соответствии с мнением большинства?

— Ты прекрасно понимаешь, о чем я.

— Прочитай в словаре, — сказал я. — Каждое слово в определении какого-либо качества — обтекаемо. *Добрый* — это *правильный*, это *нравственный*, это *приличный*, это *справедливый*, это *добрый*. Но в примерах — совсем другое дело: в каждом используется сочетание «делает меня счастливым»! Принести словарь?

— Пожалуйста, не надо, — попросила она.

— Как ты приняла войну во Вьетнаме, Вуки? Президент и большинство людей считали ее справедливой. Так считал и я до того, как познакомился с тобой. Мысль о том, что мы защищаем невинную страну от злого агрессора, доставляла большинству из нас удовольствие. Но не тебе! То, что ты узнала об этой войне, *совсем не доставило тебе удовольствия* — ты стала организатором антивоенного комитета, концертов и матчей...

— Ричи?

— Да?

— Вполне возможно, что ты прав во всем, что касается добра и зла. Давай поговорим об этом завтра.

— Всякий раз, когда мы восклицаем *Отлично!*, это означает, что наше ощущение благополучия возросло, всякий раз, когда мы восклицаем *Черт!* или *О, нет, только не это!*, мы имеем в виду, что оно уменьшилось. Каждый час мы отслеживаем в себе хорошее и плохое, правильное и неправильное. Мы можем прислушиваться к себе непрерывно, минута за минутой, и создавать собственную этику!

— Сон — это добро, — сказала она. — Сон доставил бы мне удовольствие.

— Если бы я лежал здесь в кромешной тьме и рассматривал все мыслимые примеры, подразделяя «делает меня счастливым» на хорошее, правильное, превосходное, великолепное и прекрасное, а «делает меня несчастливым» — на злое, плохое, неправильное, ужасное, греховное и испорченное, это не дало бы тебе уснуть?

Она свернулась у меня под боком, зарывшись головой в подушку.

— Нет. Пока ты не начнешь моргать.

Лежа в темноте, я тихо улыбнулся.

Тридцать семь

Я только начал засыпать, с головой, все еще полной добра и зла...

— Просто не могу поверить, что ты так думаешь! Добро — это то, что доставляет тебе удовольствие?

— Хочешь — верь, хочешь — не верь, Дикки! — сказал я. — Думать так — не преступление.

— Если бы это и было преступлением, тебя, по всей видимости, это бы не остановило.

Холм за это время стал еще зеленее, и теперь по его склонам струились реки крошечных цветочков, в основном желтых и голубых, название которых Лесли сказала бы сразу, как только бы их увидела.

— Откуда ты знаешь, о чем я думаю? — сказал я. — Разве я давал тебе ключ к моему сознанию? Ты следишь за всем, что я делаю?

Вместо камешка он беззвучно протянул мне сделанную из бальсового дерева модель планера с размахом крыла в двадцать дюймов и куском пластилина на носу для балансировки.

— Я ни за чем не наблюдаю, — сказал он.— Я могу видеть твою жизнь, только когда ты мне это позволяешь. Но недавно я понял, что ты начинаешь учиться. Раньше этого не было.

Счесть ли мне это его вторжение посягательством на частную собственность? Ощущаю ли я неудобство оттого, что он получил доступ к тому, что я узнаю сейчас?

Я улыбнулся.

— Что ж, ты растешь.

Он с удивлением взглянул на меня.

— Нет. Разве ты не помнишь? Мне всегда будет только девять лет, Ричард.

— Тогда для чего ты хочешь узнать все, что знаю я, если не для того, чтобы, по твоим словам, попробовать прожить, пользуясь моим опытом и избегая моих ошибок?

— Я не говорил, что собираюсь прожить жизнь, я сказал, что хочу только узнать, каково это — прожить жизнь? Для человека, которым я стану и который будет поступать в соответствии с тем, что я узнал от тебя, я буду оставаться девятилетним — так же, как для тебя. Скажи мне то, что считаешь истинным... я не знаю, что мне думать о добре и зле, а мне необходимо это знать!

— Что тут непонятного? — сказал я. — Добро — это то, что доставляет тебе...

— Это слишком... упрощенно! — сказал он, смакуя последнее слово. — Я и сам мог бы так сказать.

— Перестань, Капитан. Во-первых, ты совсем не глуп, во-вторых, самые простые вещи, чаще всего, оказываются самыми истинными, в-третьих, это я — пятьдесят лет прочь, и есть тот парень, который учился, — вот его-то ты и ищешь. Это очень упрощенно, и, когда ты слышишь «Добро!», прежде чем согласиться, подумай, кто говорит это, и если да, то почему.

Я уравновесил в руке планер и запустил его. Он поднялся фута на четыре над землей, замер и отвесно упал, уткнувшись носом в землю. Я бы сказал, что надо немного облегчить нос.

— Добро — это нечто большее, — сказал он, — чем только то, что доставляет мне удовольствие.

— Конечно. Кратковременное удовольствие не всегда совпадает с длительным счастьем, и нам необходимо подумать, чтобы сказать почему. В каждой истории, где некто продает душу дьяволу, суть сделки одна: обмен длительного счастья на кратковременное удовольствие, и мораль также одна: *не очень умный обмен*!

Итак, существует согласие между добром и злом, этими ценностями с расплывчатыми границами, которые неплохо совмещаются во множестве людей. Культуры могут не сходиться друг с другом в том, что такое «хорошо» и что такое «плохо», но внутри каждой культуры, как правило, на эту тему существует согласие.

— Почему так расплывчато? Почему бы тебе не говорить ясно? У меня есть четкие определения.

— Убийство — это...

— Плохо, — сказал он без колебаний.

— Милосердие — это...

— Хорошо.

Я убрал немного пластилина с носа маленького планера.

— Выражать сознательный протест в военное время — это...

— Гм.

— Добро это или зло, — спросил я снова, — выражать сознательный протест в военное время?

— Какова эта война? Мы защищаем себя или нападаем на маленькую беззащитную страну?

— Вот, — сказал я. — Как только ты находишь ситуацию, в которой добро и зло начинают зависеть от обстоятельств, вся твоя концепция оказывается субъективной, а выбор — совсем не таким ясным, как нам казалось. Как и в отношении других подобных категорий, мы должны говорить только, что это хорошо *для меня* или это плохо *для меня*.

Я осторожно запустил планер снова. Он взмыл вверх, замер и снова свалился в траву.

— Одно исключение не может повлиять на правило!

— Нет, — сказал я, вновь беря в руки планер и задумавшись над проблемой его балансировки. Теперь я уже добавил немного пластилина.

— Докажи.

— Считать ли злом убийство, совершенное с целью самообороны? Убийство врагов в военное время? Эвтаназию?

— По твоим словам, убить кого-либо невозможно, — сказал он. — *Жизнь Есть*, и мы не можем создавать ее или уничтожать.

— *Жизнь Есть*, Дикки, это так. И у нее нет правил. Но мы с тобой сейчас говорим об играх, здесь, в пространстве-времени, о предположениях относительно образов, добре и зле в свете человеческой культуры, в обществе, где реально кажущееся, а Принцип остается незамеченным.

— То есть в действительности добра и зла не существует?

— Не существует абсолютных Добра и Зла. Единственный абсолют — *Жизнь Есть.*

— Значит, я могу делать все, что мне вздумается, и не будет никаких последствий? Я могу идти обманывать, красть, убивать, и это не повлечет никаких последствий, если моя личная мораль говорит мне, что это хорошо?

— Конечно, можешь, — сказал я. — Но будут последствия, которые ты вряд ли воспримешь как хорошие.

— Например?

— Например, твой поступок будет тяготить твою душу до конца жизни. Или ты будешь гнить в тюрьме от семи до двенадцати лет. Или ты умрешь удивленным: ты думал, что твоя жертва беззащитна, а она оказалась вооруженной. В мире образов существует бесконечное множество последствий, чтобы уравновесить любой сделанный тобой выбор.

— Любой? — спросил он.

— Любой.

Он потер указательным пальцем кончик большого.

— Любой — и самый крошечный, и самый большой?

— Подумай сам, — сказал я. — Какой выбор не имеет последствий?

Я в третий раз запустил маленький планер. Он плавно поднялся над землей, пролетел, почти касаясь верхушек травы, футов тридцать, и легко, словно бабочка, приземлился. Неплохо для третьей попытки.

— Есть ли последствия у решения стать писателем?

— Да, — сказал я. — Каждый день я могу спать до обеда.

— Перестань...

Я отправился искать планер в траве.

— Дикки, разве ты не понимаешь? Всегда есть какие-то... результаты, хорошие или плохие...

— ...доставляющие-мне-удовольствие и не-доставляющие-мне-удовольствия...— пояснил он за нас обоих.

— ...того, что мы решаем делать, — закончил я, — и того, кем мы решаем быть.

— А какие отрицательные последствия решения стать писателем? — спросил он.

Идя назад, я не смог расшифровать выражение его лица и понять, почему он спрашивает.

— Много лет назад я написал книгу о диете, в которой сказал, что многим из нас не помешало бы сбросить фунтов десять.

— Это и есть отрицательные последствия?

— Нет, — сказал я ему. — Последствие, которое не доставило мне удовольствия, заключалось в том, что один из моих читателей согласился с этим, процитировал меня в качестве авторитета и отрезал себе голову, таким образом избавившись от лишнего веса.

Глаза словно блюдца.

— ЧТО?

— Он не понял, о чем я писал, Дикки, но сбросил те самые десять фунтов.

— Ты шутишь!

— Не совсем, — сказал я. — Много лет назад я действительно написал книгу, в которой главный герой не боялся смерти. Один молодой человек прочитал эту книгу, решил, что он тоже не боится смерти, и покончил с собой.

— Ты опять шутишь.

— Нет. Это правда.

Я сел на траву с планером в руке.

— Зачем он это сделал?

— Он был влюблен в одну девушку и не нравился ее родителям, которые пообещали разлучить их навсегда. Влюбленные решили покончить с собой, въехав на большой скорости в стену. Она выжила, а он погиб.

— Почему они просто не бежали вдвоем?

— Хороший вопрос.

— Если бы я уже решился умереть за что-то, Ричард, вряд ли меня остановило бы что-нибудь меньшее, чем смерть! А к этому относится немало решительных мер.

— Например?

Интересно, что я считал решительными мерами, когда мне было девять лет?

— Взять свой скаутский нож, еду и спички и бежать с ней в горы.

Я вспомнил свой последний мальчишеский побег: прочь из родного города, в дикие дебри, которые изо дня в день виднелись на горизонте. Я ожидал большего.

— Если бы я умел водить машину, мы бы уехали в Монтану. Или пробрались бы на грузовое судно, идущее в Новую Зеландию.

Конечно же, побег был его первой мыслью. Если бы сегодня в нашей жизни еще оставалось место чему-нибудь решительному, я бы тоже выбрал побег.

— Я бы поговорил с ее родителями, — продолжал он, — пообещал бы подстригать траву на их лужайке до конца жизни, показал бы им дневник с моими отметками и привел бы полсотни своих друзей, чтобы они засвидетельствовали, что я действительно хороший парень.

Я кивнул.

— Господи, ну и потом, ведь она не была *собственностью* своих мамы и папы!

— Нет, — сказал я. — По моему убеждению — ни одной секунды, но вряд ли у ее родителей были те же убеждения, что и у меня.

— Позволил бы ей уехать, — сказал он. — Писал бы ей письма от имени нового близкого друга, пока бы не подрос настолько, что мог бы отправиться за ней.

— Возможно.

— Я бы работал и посылал бы ей деньги, чтобы она могла звонить мне, когда захочет. По телефону мы бы договорились, как нам опять встретиться.

Я ждал.

— Терпение. Рано или поздно мы останемся одни, без родителей, и тогда никто не сможет помешать нам быть вместе.

8 – 4585

За пять минут Дикки придумал пять планов, как преодолеть родительский запрет, не прибегая к самоубийству, — по одному плану в минуту. Однажды, подумал я, тот парень тоже ломал над этим голову.

Если бы бедняга раскачивался на почти перетертой веревке над озером, полным крокодилов, тогда бы я мог согласиться, что выбор у него весьма ограничен, но даже в этом случае смерть вовсе не была бы неизбежной. Одно время, во Флориде, я часто плавал в водоеме с аллигаторами; не все из них людоеды. Если они не голодны или погружены в медитацию, когда ты проплываешь мимо, они не представляют никакой опасности.

Я подбросил планер. Он набрал высоту, выровнялся и медленно скрылся из виду за гребнем холма.

Смерть — это единственное, чего нельзя изменить, подумал я. Хотел бы я, чтобы тот мой опрометчивый юный читатель был здесь, со мной и Дикки. Убить себя в шестнадцать лет не означает выиграть игру, ради которой мы находимся здесь.

И запомни, сказал бы я ему: если ты собираешься использовать мою книгу для оправдания самоубийства, тебе потребуется мое письменное разрешение, прежде чем сделать это. Давай, сделай это: я разозлюсь как черт, и мой читатель, забывший, какой игрой является наше пространство-время, низко поклонится этому миру зеркал.

Я помолчал минуту, задумавшись над его выбором.

— Что бы ты чувствовал, Дикки? Ты убиваешь себя, въехав в стену, воспаряешь над своим смятым за рулем телом и вдруг понимаешь: «О, нет! Мы же могли сбежать в Окленд! Ну и дурак же я!»

— Слишком поздно, — сказал он. — По-твоему, мне снова пришлось бы стать в очередь, потом снова родиться младенцем, еще более беспомощным, чем подросток. Мне пришлось бы все начинать сначала: учиться говорить, учиться ходить, учиться считать, пойти в детский сад, делать все, что скажут взрослые, потому что они большие, а я маленький...

Нам не нужно снова становиться в очередь, подумал я. Нам ничего не *нужно* делать. Мы *хотим* делать это снова, пытаясь сделать это правильным, умным и точным действием.

В первый раз с момента нашей встречи мальчик, которым я был, проявил жалость к мужчине, которым он станет.

— Каковы были бы последствия, — тихо сказал он, — если бы ты написал книгу, которую кто-нибудь не понял бы?

— Я до сих пор ощущаю этот огромный груз, Дикки. Я хотел бы поговорить с ним, хотел бы услышать от него другие варианты.

— Это невозможно. Он мертв.

Кто знает, подумал я. Может быть, к тому времени, как я завершу свою следующую книгу, она уже сможет ее прочитать.

Тридцать восемь

Дикки ушел, не прощаясь, оставив меня в одиночестве.

Когда с нами случается что-то ужасное или мы попадаем в безвыходную ситуацию, как здорово услышать магическое «Все в порядке», даже если произносим его мы сами.

«Все в порядке» — это космическая истина, подумал я, и ощутил, как спадает напряжение внутри. У моего юного самоубийцы были свои уроки, как и у всех нас. Все в порядке. Если бы нам не было чему здесь научиться, вряд ли мы оплатили бы это путешествие.

Я посмотрел на горы за холмом сквозь мили чистого, как алмаз, воздуха. Для полетов не существует расстояний. Можно добраться до любой точки на Земле: отдаленная деревушка и снежное высокогорье, коралловый остров и клубящиеся облака. В ненастные дни мы можем подняться к самому солнцу, если пожелаем. Верь в Инструменты, продолжай подъем и в дождь, и в снег, и в туман, и рано или поздно окажешься на вершине. Космический закон полетов, который нам необходимо доказать в своей жизни.

Пора просыпаться и переходить к другому сну.

В тот момент, когда я об этом подумал, из-за вершины холма внезапно показалась голова Дикки, устало плетущегося с маленьким планером в руке.

— Он действительно летает, Ричард! Он был далеко-далеко от холма! Ты действительно умеешь летать! Как у тебя это получается?

— Практика, — ответил я, пряча удачу за скромностью.

— А название — секрет? — спросил он, зная, что я не пойму, о чем он, и задам вопрос.

— Какое название?

— Название твоей религии.

— У нее нет названия, Дикки, и никогда не будет. И вообще, это не религия — во всяком случае, в общепринятом смысле. Организованная религия — это паутина из тысячи доктрин, ритуалов и навязанных верований, в центре которой находится Бог — Великий Паук. В этой паутине люди гибнут. Пожалуйста, никакой организованности!

Он улыбнулся мне.

— У тебя есть безымянная неорганизованная религия? У тебя есть что-то, во что ты веришь. У тебя есть... что?

— У меня есть способ выяснять для себя истину, который я еще не довел до конца. Это... это — экспериментальная личная философия, и у нее никогда не будет названия. Ты знаешь почему.

Я знал, что он этого не знает, но, на мой взгляд, он заслужил право угадать.

— Потому что название — это ярлык, — сказал он, — а как только появляется ярлык, идеи исчезают и начинается обожествление или осмеяние ярлыка, и вместо того, чтобы жить ради идей, люди начинают умирать ради ярлыков, поэтому новая религия — это, по-твоему, последнее, в чем нуждается мир.

Я уставился на него.

— Неплохо угадываешь.

— А есть ли у нее какой-нибудь символ, у твоей безымянной экспериментальной личной философии?

— Конечно, нет. Символ — это тот же...

— Я понял, — сказал он. — Но почему бы тебе, просто ради удовольствия, не придумать какой-нибудь символ, который выражал бы твой образ мыслей, напоминал бы, что у него нет и никогда не будет имени? И ради безопасности тоже. Ведь что-то, не поддающееся выражению словами, вряд ли может стать ярлыком.

— Интересная идея, — сказал я. — Хотя значение имеет только то, как я использую свои знания в каждую минуту своей жизни; как я использую их, чтобы помнить в разгар игры, что это всего лишь игра.

Он не отставал.

— А если бы все-таки символ был, в твоем сознании, что бы это было? — спросил он. — Уж наверное, не звезда, не полумесяц и не крест?

Я засмеялся.

— Нет, Дикки, не крест. Крест без перекладины. Мне не нравятся перекладины.

— Крест без перекладины, — сказал он, — это единица.

— Точно, — сказал я. — Единица в двоичной арифметике значит Не-Ноль, Есть вместо Нет. Единица — это число Жизни, число снов не важно.

— Крест без перекладины — это заглавная буква I.

— Напоминающая мне о том, что этот безымянный путь — мой личный образ мысли, которым я не делюсь ни с кем, пока меня не попросят, и то если у меня в тот день будет настроение рассказывать, чего обычно не случается, исключая наши встречи с тобой.

— Крест без перекладины — это маленькая l.

— Напоминающая мне, что в конце каждого сна меня ждет вопрос: «Насколько хорошо в этот раз ты проявил любовь?»

— Вот он, — сказал он. — Совершенный символ I.

— Никаких символов, никогда,— сказал я.— Не в твоей жизни.

— Конечно, не в моей, — сказал он. — Существует только одна жизнь.

Он сел на траву в нескольких дюймах от моего колена, не выпуская из рук планер.

— Я должен немедленно решиться на это, Ричард, — сказал он.

— Решиться на что?

Он с удивлением посмотрел на меня, как если бы я должен был знать, о чем идет речь, потом понял, что я не могу этого знать.

— Решиться уйти, — сказал он. — Думаю, что мне нужен совет.

В его голосе промелькнуло что-то, напомнившее мне брата, и это меня немного напугало.

Дикки — так же реален и так же нереален, как любой другой Ричард Бах, подумал я, и смерть ему страшна не более, чем мне. Кроме того, он мне понравился, мы начали доверять друг другу, стали друзьями и нам еще нужно многое друг другу сказать. Почему он вдруг заговорил об уходе?

— Я не знаю, случается ли это с каждым, — сказал он. — Но для нас пришло время, когда я должен решить, оставаться ли мне с тобой или исчезнуть вновь вместе с частью твоего детства.

— Неужели я знаю так мало, — спросил я,— что ты смог так быстро всему научиться и теперь уходишь?

— А ты хочешь, — спросил он, — остаться безнаказанным за то, что запер меня на полвека?

Как будто бросил мне в голову камень. Я моргнул от шока, прежде чем понять, что месть не входила в его планы. Он просто задал вопрос, обдумывая варианты.

— Ты прав, — сказал он.— Я не успел узнать все. Но я очень внимательно выслушал все то, что ты считаешь истинным.

Он протянул мне маленький планер.

— Спасибо, Ричард.

Дикки не мой брат, подумал я. Почему же я чувствую себя так, как тогда, когда умер Бобби?

— Ты никогда ничего не говорил о каких-то решениях или об уходе, — сказал я. — Ты нереален, ты — это воображаемый ребенок, воображаемый я. Ты не можешь меня покинуть!

— Ты — воображаемый взрослый, — сказал он, — который рассказывает мне один из вариантов моего будущего. Я доверяю тебе, я тебе верю и думаю, что, по всей вероятности, ты прав. Но если теперь ты хочешь сказать, что все, кто не имеет тела,— в том числе и я — нереальны, то это значит, что я не понял ни слова из того, что ты мне рассказал. Неужели ты хочешь начать все снова и сказать мне, что реально только то, что можно увидеть глазами? Я очень в этом сомневаюсь, Ричард, и я — не взрослый.

Когда испытываешь к кому-то — кукле, домашнему животному, ребенку, которого встретил в своем сознании, — симпатию, и знаешь сердцем все, что он чувствует, — это и есть любовь. А что может разорвать связь, спаянную любовью?

— Извини, — сказал я. — С моей стороны было глупо так говорить. Если тебе пора уходить, значит — пора. Я веду себя как ребенок.

Он внимательно посмотрел на меня, чтобы понять, не шучу ли я.

— Теперь, обладая твоими знаниями, — сказал он, — я могу начать жизнь, настолько отличную от твоей, что в следующий раз, встретившись со мной, ты не сможешь меня узнать. Вот было бы забавно.

— Да уж, — сказал я.

Долгая пауза.

— Наверное, тебе уже пора двигаться.

— Тебе это тоже принесло пользу, — сказал он. — Большую часть своей жизни ты пытался избавиться от своего детства, считая его мертвым грузом. Я не позволил тебе сделать это. Я бы не умер в своей клетке, и тебя бы не отпустил. Но ты открыл дверь. С небольшим опозданием, но все-таки открыл. Спасибо за дождь в моей пустыне.

— Не уходи, — сказал я. — Мы друзья.

— Ричард, тебе почти шестьдесят! Ты хочешь учиться дальше? Ты хочешь избавиться от лишнего багажа? Твое детство — это груз, от которого я могу тебя освободить!

— Мне что? — переспросил я. — Мне почти что?

— Тебе почти шестьдесят. Мне девять лет, а ты опережаешь меня на полвека. Тебе почти шестьдесят лет.

Была ли эта ухмылка его декларацией независимости?

— Я не верю ни в девять, ни в шестьдесят, ты ведь знаешь. Мы не построены из времени...

Он терпеливо наблюдал за мной, как будто я был ребенком.

— Дикки, — сказал я. — Кегли, шахматы, рапиры, шпаги или сабли, трек, поле, бассейн или дистанция. Выбери нужный тебе вид и выбери возраст. Девятнадцать? Тридцать восемь? Сорок? Я соглашусь с любой иллюзией любого выбранного тобой возраста, и, клянусь... вышибу из тебя мозги! *Что значит «тебе почти шестьдесят»?*

Он еще какое-то время смотрел на меня, продолжая усмехаться, скорее друг, чем ребенок. Потом что-то вдруг произошло с его глазами, как будто час пробил и его время истекло. Он кивком поблагодарил меня, возвращаясь к своему решению.

— Шестьдесят, — сказал он, — это слишком долгий срок, чтобы нести в себе детство, которое ты едва помнишь. Позволь мне кое-что сделать для тебя. Позволь мне снять с тебя этот груз. Потом мы отпустим друг друга.

Тридцать девять

Лесли отложила свою книгу: «Несколько полезных способов избавиться от болезней садовых растений».

— О чем ты думаешь, дорогой? — спросила она. — Что тебя беспокоит?

Я лежал в кровати рядом с ней, уставившись в потолок.

— Ничего. Просто задумался.

— Гм, — сказала она. — Ладно.

Она вернулась к книге.

Я решил не сообщать ей о решении Дикки до того, как сам все хорошо не обдумаю, потратив один час или десяток на размышления об этой странной дружбе, о том, почему она так много для меня значит и каким могло бы стать наше будущее, если бы он решил остаться.

Как он и обещал, я почувствовал себя гораздо легче без давнего детства, хватающего меня за пятки. Ушли сомнения, тревожившие меня десятилетиями, исчезло тяжелое чувство, что я забыл что-то очень важное из тех лет, когда был ребенком. С его помощью я наконец выбрался из того времени, и смутный вид вчера вдалеке окончательно скрылся из виду.

— Быстро схватывает, — сказала Лесли, не отрываясь от книги.

— Кто?

— Дикки, — сказала она. — Он узнал все, что хотел, и ушел?

— Откуда ты знаешь?

— Просто угадала, — сказала она.— На самом деле нужно быть сделанной из камня, чтобы не уловить твои волны Ощущения-Незавершенности.

Хорошо было бы однажды пережить какое-нибудь приключение, дать ему время улечься, потом выбрать свободную минуту и рассказать жене и его начало, и середину, и конец, а также смысл. Но, подумал я, с ней это так же вероятно, как мороз в аду.

— Ну, в общем, ты права.

— Он приходил, чтобы дать тебе что-то или что-то взять у тебя? — она спросила это так, как будто заранее знала ответ.

— Ему нужны были знания, — ответил я, — и мне доставило удовольствие с ним поделиться. Теперь он знает почти все, что знаю я, а как с этим поступить — его личное дело. Я для него — лишь часть только этого одного будущего.

— Ты значил для него не более чем это, — сказала она, полуспрашивая-полуутверждая. — Тебе будет его недоставать?

— Я не думаю, что могу так сказать, — ответил я. — Но я буду помнить его и думать о нем.

Она улыбнулась в ответ на мои слова.

— Трудно было научить его вносить рациональность в каждую частичку живого человеческого чувства, или ему это тоже легко далось?

— Ох, Вуки, перестань! Я действительно рационален и не собираюсь в ближайшее время себя переделывать. Но даже если я изменюсь, то в первую очередь пострадаешь от этого ты. Сейчас мы находимся в равновесии — ты и я на наших маленьких качелях; ты же не хочешь, чтобы я прыгнул всем своим весом на твою сторону, не правда ли?

— Рациональный или чувствующий, — сказала она, — не имеет значения. Все равно я тебя не брошу.

— Спасибо, милая.

Я придвинулся ближе, выключил свою лампу, просунул руку под подушкой Лесли и закрыл глаза.

— Без тебя было бы так холодно.

— Учишься? — спросила она.

— Нет, милая, — прошептал я. — Единственный раз в жизни я был не учеником, а учителем.

— М-хм.

Она вернулась к своей книжке и читала, пока я не начал засыпать.

— В следующий раз, когда снова встретишь Дикки, — сказала она, — передай, что я люблю его тоже.

Сорок

Той ночью, в три часа, я внезапно проснулся, и, глядя широко раскрытыми глазами в темноту, с опозданием на два месяца понял: Дикки помнит детство, которое я забыл! Он помнит *все с первой минуты*.

Мы были двумя концами жизни, протянувшимися к центру, который ни один из нас не мог найти по отдельности. За все эти часы, проведенные вместе, подумал я, мне нужно было только спросить его! Он все еще хранил память о том единственном приключении, которое являлось ключом ко всему, во что я верил, сцены, которой мне необходимо было коснуться еще один раз, чтобы стать взрослым.

Он не мог уйти!

Я помассировал веки, заставил себя расслабиться, ясно и отчетливо представил себе его лицо и слился с ним.

Через миг я стоял на склоне холма — там, где лес граничил с лугом, — и целая россыпь крошечных серебристых цветов сияла вокруг меня. С одной стороны вдали виднелся океан, почти такой же темный, как небо, и мерцающая алмазная река, которая в него впадала. С другой, насколько я мог видеть, широкая равнина уходила к горизонту первобытных холмов и долин. Пустота и спокойствие вновь обретенного рая.

Это не было тем холмом, который я знал, но каким-то образом это место было мне знакомо. Где я видел это раньше? Он должен быть рядом.

Я нашел его сидящим на каменном выступе. Он выглядел как обычно и запускал планер, который взлетел над зеленым холмом, как будто его вел крошечный пилот, попал в восходящий поток у края холма и начал набирать высоту.

Удивительный вид. Как это у него получилось? Но у меня не было времени его рассматривать.

— Ты ведь помнишь все мое детство! — сказал я, даже не поздоровавшись. — Все до последнего дня! Это так?

— Конечно, — ответил он. — То, что ты от него отгородился, не означает, что оно пропало.

— *Ты помнишь свое рождение*!

Все это время, подумал я, он знал ответ. Дикки знает, что превращает наш безмятежный дух из живого света в младенческий крик Я-Об-Этом-Никогда-Не-Просил, раздающийся в темноте. Звено, которого мне недоставало и которое я никогда бы не нашел.

— Мне нужна память об этом, — сказал я.

Вспышка притворного удивления.

— Я уже думал, ты никогда об этом не спросишь.

Он порылся в кармане рубашки и вытащил небольшую хрустальную полусферу нежно-янтарного цвета, размером с небольшой лимон.

— Вечная штука, — сказал он. — Открыть ее может только твое желание знать. — Он протянул ее мне. — Будь осторожен, она развалится, как только ты ее коснешься. Ты уверен, что хочешь этого?

Я взял ее у него из рук. Маленькая, легче яичной скорлупы. Почему бы и нет — тайна моего первого, наполненного миром и любовью дня на Земле, завернутая в розовый лепесток. Такая тонкая!

В тот миг, когда я прикоснулся к хрупкой поверхности кончиком пальца, она рассыпалась в моей руке, за час до моего рождения.

Сорок один

В то время, вспомнил я, все было так здорово. Приключение! Романтика! Снова в кругу старых друзей, очертя голову бросаюсь в смертельную битву со страшными врагами. На этот раз ими будут котята! Наихудший возможный исход: одна-две царапины, стоит мне на мгновение забыть, кто я, стоит мне закрыть глаза на их кажущуюся реальность.

Так неправдоподобна, эта царапина. Я вспомнил! Не бывать больше катастрофам, когда я терял это знание, всю жизнь сражался с фантомами, позволяя обратить себя в прах и удивляясь в свой последний миг, зачем я вообще появился на свет.

Никогда. Знание дало мне силу, которой не имеет ни один мой враг. Жизнь в пространстве-времени — это ведь игра вроде Снэп-Сити, правда? И я теперь так умею в нее играть, так неуязвим для любого оружия, так надежно защищен знанием, что пролечу, смеясь, сквозь кольцо драконов, которые много раз испепеляли меня прежде.

Отдохнувший, с новыми силами, вооруженный непоколебимым пониманием реальности вместо моей прежней веры в вымысел, — что меня может теперь поцарапать?

Бесстрашно — не то слово... это будет РАЗВЛЕЧЕНИЕМ!

Одна, последняя, жизнь, один финальный матч в игре, чтобы доказать, что победа достается легко, показать, что я запомнил навсегда легкое знакомое изящество, на котором строится любой триумф.

Помни, кто ты, ковбой, никогда не верь тому, что видишь вокруг, и это будет КУСКОМ! ПИРОГА!

С таким оружием, презрев драконов, я переступил через край, и все окунулось в тьму.

Как это странно — быть рожденным!

Несколько часов назад я был в безопасности, счастливо плавая в тепле и уюте, все системы в норме, а теперь мое сознание превратилось в центр управления ядерным реактором в аварийной ситуации. Мигают сотни ужасно-ярких смертельно-красных предупреждающих табло: дыши, или умрешь, ешь, или умрешь, падение — смерть, огонь — смерть, враги в темноте, собака выглядит смирной, но ест детей.

Никогда не видел одновременно столько ярких сигналов тревоги. Сейчас я открыт всему миру, У-ЯЗ-ВИМ, то есть б е с с и л е н , и даже не могу членораздельно заорать слово «Помогите!».

Один человек рядом. Мама, я не люблю быть эгоистом, но ты бы лучше оставалась рядом, пока не минуют все опасности, пока я не буду надежно вооружен и защищен, лет этак до тридцати, пожалуйста, и, между прочим, скажи, что я здесь делаю? Кажется, я забыл... это я выбрал эту жизнь или ты, и не могла бы ты мне сообщить, по какой возможной идиотской причине?

Она могла бы ответить, но мои вопросы превращаются в крик и плач, и спи-моя-радость-усни мало помогает, когда я знаю, что за окном минус тридцать, а меня начинает бить дрожь при плюс восемнадцати. Единственное, что мне остается, — закрыть глаза, отключить системы, спать.

А во сне я плыву назад, к мягким изумрудно-янтарным холмам, стоит мне прыгнуть, и я не упаду, а поплыву, словно облако нарциссового света. Сон возвращает меня *домой*, туда, где понимают без слов, где все друг другу учителя и ученики, и во всем присутствует разум и смысл.

— ВЫ НЕ ПОВЕРИТЕ! — говорю я им. — В следующий раз, когда я снова начну говорить, что жизнь в пространстве-времени — это забавно, накиньте на меня сеть, а? Вы что, не видели, что я РЕХНУЛСЯ? Они здесь сразу заваливают тебя всякими ограничениями, в ту же секунду, как приземлишься... ограничения в пространстве, ограничения во времени: я отрезан от всех и замкнут в желатиновой форме КРОШЕЧНОГО создания, неуклюжем миниатюрном карликовом тельце нет духовного общения нет возможности вернуться не могу летать и гравитация здесь огромна, я чувствую себя тяжелее, чем слон, увязший в смоле, слабее, чем мотылек, все вокруг лед и сталь, кроме мамы и одеяла, ограничения, словно кинжалы у горла, правила, которые я не могу понять, поднят занавес в пьесе, где я сам должен написать свою роль при помощи слов, которых я не знаю, и разума, который в основном, почему-то, дает команды моему рту, не способному даже сказать, чтобы меня отсюда выпустили.

Пространство-время уже в теории выглядит безумием... на практике оно — безумие вдвойне, минута для взрослых — дни для меня, клак-клак-клак: каждую секунду распадаются вселенные, и никто этого не замечает, постоянно оказываясь перед иллионами выборов, оборачивающихся одним-единственным — все ложатся в постель в неизменном прошлом, за которым, как все считают, последует будущее.

Это жестокая шутка, не так ли? Нереально — меня предупреждали, но это ведь более чем нереально, это немыслимо: превратить эти тяготящие меня ум и тело младенца в то, что в лучшем случае примется просто размышлять о том, что я есть, а в худшем — уподобится прутику, бессильному выбраться на сушу из рокочущего потока, но тем не менее способному *помнить*.

Было безумием с моей стороны выбрать все это, но я ведь могу дать и задний ход. Худшее, что может произойти — если повезет, — меня съест собака, и я выберусь из этого мира-ловушки и снова вернусь домой.

Просыпаясь, я об этом уже не помнил.

Я был наблюдателем, утратившим свойства бесплотного призрака — те, за кем я наблюдал, теперь могли, в свою очередь, наблюдать за мной. Какой милый малыш, говорили они моей маме, в глубине души благодаря Бога, что уже никогда не окажутся на моем месте. Он так счастлив! Посмотрите на эти большие глазки... невинность, счастье, безопасность.

Ложь. Ложь. Ложь.

В эти первые часы происходили величайшие сражения в моей жизни, которые я проигрывал одно за другим, словно ряды падающего домино.

— Я есмь, — говорил я миру. — Я не рождаюсь и не умираю, индивидуальное проявление бесконечной жизни, выбравшее пространство-время для игры и обучения. Я пришел сюда для забавы, чтобы встретить вновь старых друзей и встретиться вновь с великими врагами...

Удар в лицо железным ботинком — таковы мои враги. Они не пользуются словами, потому что не нуждаются в них.

Боль! Добро пожаловать в пространство-время, Страну-Нет-Другого-Выбора. Видишь то, что есть, приятель. Сейчас пока все расплывчато, но, чем лучше ты видишь, тем хуже все выглядит. Вот мороз, голод, жажда, а вот твое тело — все, что ты имеешь. Никакой бесконечной жизни. Все, что отделяет тебя от смерти, — двое простых смертных, которых ты едва знаешь и которые не до конца уверены, что хотят быть твоими родителями.

— Я помню свою прежнюю жизнь! Мне не нужно было дышать или есть, у меня не было тела, но я жил! Я выбрал своих родителей, а они выбрали меня! Я выбрал это время! Я помню...

Ты помнишь свои сны! Отблески в твоей пустой детской голове. Покажи нам эту жизнь, где она? Не можешь? Постарайся! Забыл, где она? Так быстро?

А ну, попробуй, малыш... задержи дыхание минуты на три, погуляй по льду минут пять, поспи в снегу десять, останься без матери день. Попробуй, потом расскажешь нам про свою Бесконечную Жизнь!

Мутное новорожденное сознание кружится, проигрывая по битве в минуту. Нет времени подумать, время принадлежит физическому миру. Мир сражается на своей территории, истинно только то, что можешь увидеть своими глазами и потрогать своими руками. Принимаются только физические доказательства, все остальное — пища для насмешек.

Я потерял равновесие, отброшен к стене. Младенцы не знают, с какого конца браться за меч. Я в меньшинстве, и даже самый бездарный из этой злобной армии, играючи изрубит в клочья меня, этого маленького мятежника, прежде, чем я научусь видеть.

Этот мир — весь как острый камень, он больно ранит. Я исполосован до крови, а мама даже не знает, что я сражаюсь за свою жизнь.

— Все хорошо, малыш, не плачь. Все хорошо...

«Мама! — кричал я без слов. — Помоги мне!»

Говорить можно не только при помощи слов, и иногда мать может сказать больше, чем знает, когда ребенок плачет.

Она потрепала меня по голове.

— Малыш. Драконы превосходят тебя числом, и они лгут. Ты *можешь* выбирать. Выбор таков. Первое: не обращай внимание на их блеф. Закрой глаза, воспрянь духом, вспомни, кто ты, вне пространства, вне времени, не рождающийся и не умирающий...

Я расслабился.

— ...и физический мир вскинет кулак в знак победы — Хо! Мертв! Все глаза увидят твое крошечное тело бездыханным, все пальцы согласятся, что пульса нет, и подпишут свидетельство, где твою победу назовут смертью.

Она поднесла меня к своему лицу.

— Второе: прежде чем твои внешние стены падут, как и должно произойти, если ты остаешься, построй внутреннее пространство для защиты истины. Храни в себе, что ты — бесконечная жизнь, выбирающая игровую площадку; храни, что окружающее существует с твоего согласия и ради твоих целей; храни, что твоя миссия — излучать любовь так, как ты это умеешь, в моменты, которые ты сочтешь наиболее драматичными. Драконы — твои *друзья*!

Я прислушивался, вспоминая, к своей матери, чья жизнь соединяла меня с миром солнечного света, откуда я пришел, и этим миром колеблющейся тьмы и нападений перед рассветом.

Она смотрела в мои расширившиеся от удивления глаза.

— Крепко держишь истину? — спросила она шепотом о тайне, известной только нам двоим. — Создай кристалл вокруг твоего Я, глубже и крепче, чем пространство и время, создай щит, который ничто не сможет разбить...

Но, мама, я моргал, слушал и забывал. Даже ты — пространство и время. Ты — здесь, а не там. Сейчас ты со мной, а однажды ты умрешь...

— Верно, — негромко ответила она. — Прислушайся к своим драконам. Я точно так же попалась в пространство-время, как и ты. Я умру, как и твой отец, и братья. И ты останешься один. Покорись. Сдайся. Позволь твоим стенам обратиться в песок, позволь миру увлечь тебя в свой мутный водоворот, смирись с его ложью, научись в ней плавать, не сопротивляйся. А внутри храни то, что ты запер, и однажды, двадцать ли, шестьдесят ли лет спустя, малыш, прикоснись к своей истине, и засмейся...

Я поверил ей и сдался драконам, увидел, как огромные голубые приливные волны разнесли на куски мои стены: нет выбора нет вопросов жизнь несчастная и короткая несправедливость у которой нет смысла мы птенцы выброшенные из гнезда мы лемминги глупо выброшенные на скалы случая, без всякого смысла. Добро пожаловать на Землю, идиоты.

— Уау! — сказал я. — Здесь классно!

Вот так-то лучше, прошипели мои драконы, крепче сжимая меня. Жизнь гораздо легче, когда не сопротивляешься. Нужно учиться, а не вспоминать.

Твои глаза закрыты — открой их.

Твое тело расслаблено — напрягись.

Твое сознание расширено — сфокусируй его.

Твоя душа безмятежна — отдай ее нам.

Они говорят по очереди, не умолкая ни на минуту.

Ты находишься в глубоком сне. Каждое наше слово приближает твое шумное, бурное пробуждение. Не удивляйся и не задавай вопросов.

У тебя что-то на душе. Выскажи это, и ты будешь тонуть все глубже и глубже...

— Спасибо, — сказал я. — Так много сведений.

Это хорошо. Да. Смертные любят учиться, и наш подарок тебе — то, что ты всегда будешь испытывать эту любовь. Запомни:

Реальность — в видимости. Реально то, что ты видишь. Реально то, что ты осязаешь. То, о чем ты думаешь, нереально, то, на что надеешься, не существует. Тест Номер Один: Что есть реальность?

— Реальность — в видимости, — ответил я.

Хорошо. Отличный ученик. Глубже, спи. Так много нужно узнать:

Реальность изменяется во времени.

Атомы составляют жизнь.

Судьбу определяет случай.

Некоторым людям везет, некоторым — нет.

Жить означает побеждать, выигрывать, становиться кем-то; умирать означает проигрывать, исчезать, становиться никем.

Тест Номер Два, немного сложнее: Что изменяет реальность?

— Время, — ответил я. — И пространство.

Правильный ответ — время. Почему ты упомянул пространство?

— Потому что реальность различна в разных местах.

Хорошо! Ответ — «время», но и пространство подходит тоже. Ты начинаешь думать творчески. Понимаешь, что значит слово «творчество»?

— Да. Ничего не существует, пока не будет сотворено физически, в пространстве и времени. До сотворения все нереально.

После уничтожения все нереально. Все сотворяется, все уничтожается. Все — вопрос только времени.

Что находится за пределами пространства?

— Ничего.

Что существует за пределами времени?

— Ничего.

Твоя мать научит тебя ходить. Почему ты всегда будешь проходить сквозь двери и никогда — сквозь стены?

— Стены — это ограничения. Никто не проходит сквозь стены, потому что они твердые, а пройти сквозь твердое, не разрушив себя, невозможно. Мама и папа не ходят сквозь стены, хоть они большие и сильные. Никто, включая меня, не может преодолеть ограничения пространства и времени.

Хорошо. Все имеет ограничения. Ограничены ресурсы, пища, воздух, вода, кров, идеи. Чем больше используешь ты, тем меньше останется другим. Другие старше, сильнее и мудрее тебя, они идут впереди и у них право старшинства. Поэтому запомни:

Дети не должны часто попадаться на глаза, а если попались, то их не должно быть слышно. Дети никогда не должны раздражать взрослых.

Дети не умеют думать, а если и думают, то их мысли представляют собой такую спотыкающуюся мешанину рудиментарных ошибок, что их ум напоминает пустой песок, в котором нет ни одной блестки золота. Ребенок не может придумать ничего нового, отличающегося или значительного.

Не дергайся. Всегда думай: Что скажут люди? Не выводи никого из себя, потому что в первые годы жизни ты будешь хрупким, словно паутинка, так что даже любой замухрышка сможет убить тебя одной левой.

Сила — это власть.

Гнев — единственное предупреждение.

Страх не защитит.

Тест: Какой единственный мир всегда существовал и всегда будет существовать?

— Мир, который я вижу перед собой.

Откуда ты пришел?

— Я пришел ниоткуда и иду в никуда. Цели нет.

Хорошо! Рождение — счастье. Тело — механизм; углерод, водород, кислород, работает на органическом топливе. Тело управляет сознанием, сознание — хаотическая электрическая активность мозга.

Существует только одна, не зависящая от твоих желаний, твоих мыслей и твоей жизни физическая реальность. Твои мысли никак не могут на нее повлиять. Иной реальности не существует.

Отвергни эти идеи, и ты умрешь. Вопросы?

— Продолжайте.

У мира было много проблем до твоего появления, и он не нуждается еще в одной. Никому нет дела до того, кто ты и о чем думаешь. Любая важная идея уже существовала до тебя, все важные книги уже написаны, все прекрасные картины нарисованы, все открытия сделаны, все песни спеты, все фильмы сняты, разговор окончен. Все важные жизни прожиты. Ты не имеешь и не будешь иметь никакого значения.

Тест: Кому ты нужен?

— Я нужен себе!

Неправильно. Повторяю: Кому ты нужен?

— Я никому не нужен, и эгоистично с моей стороны заботиться о себе. На планете уже живут миллиарды, я явился сюда без приглашения, и другие позволят мне остаться, только если я буду вести себя тихо и покорно и не буду много есть. Главное — тихо.

Правильно. Каждый — сам по себе. Все знание сосредоточено в словах и числах. Для того чтобы знать что-либо, ты должен этому у кого-то научиться. Все, кто старше тебя, умнее. Все, кто крупнее тебя, имеют над тобой власть.

Ценности — в противопоставлении плохо-хуже-хуже-всего, хорошо-лучше-лучше-всего. Существуют Правильное и Неправильное, существуют Добро и Зло. Добро и Правильное заслуживают жизнь, Зло и Неправильное заслуживают смерть.

Ты живешь не ради себя, а ради пользы и удовольствия других.

В мире существует множество наций и языков. Ты родился в лучшей нации, ее язык — лучший язык, ее политическая система — лучшая система, ее армия — лучшая армия. Ты должен подчиняться приказам своей страны, отданным с любого уровня ее власти, сражаться и умереть за свою нацию, чтобы сохранить за ней Номер Один.

Хорошие парни выигрывают, плохие — проигрывают.

— Но ведь умирают все, то есть даже хорошие люди в конце концов проигрывают?

Если хорошие люди умирают, то попадают в рай и чувствуют себя счастливыми.

— Но рай нельзя увидеть, а если его нельзя увидеть, то он, получается, нереален. Твои слова!

Рай — это ложь, чтобы скрыть, что смерть — это проигрыш. Верь лжи.

Справедливость — когда умирает плохой человек, трагедия — когда хороший, смерть — конец жизни.

Ответов не существует. Мир непознаваем. Ничто важное не имеет смысла.

— Как все это может быть истинным?

Все истинно. Это реальность.

— Конечно.

Не прошло и десяти часов с момента моего появления на этой планете, как я уже обезоружен, ключ, добытый ценой тысячи моих предыдущих жизней, погребен под мертвой свинцовой толщей безопасности, заключающейся в том, что известно каждому: жизнь — это досадная случайность, длящаяся, пока нам не удастся ускользнуть и умереть.

Мысль глубоко в подсознании:

Ну и дурака же я свалял! Ну почему я снова решился стать Джо Глупой Башкой, что я могу получить от этого бесконечного гипнотизма иллюзий, от забывания того, что на самом деле истинно? Я вырасту, как и любой другой ребенок на этой планете, проглатывая все, что предложит мне мир, и вскоре будет поздно что-либо вспоминать.

Помню ли я сейчас?

Зачем я вообще здесь появился?

Битва закончена. Дитя спит.

Сорок два

— То, что ты знал до рождения, не потеряно.

Его голос был мягок, как бриз здесь, на вершине холма.

— Оно только скрывается в тебе до минуты испытания, когда приходит время вспомнить. Я почти уверен, что при желании ты найдешь какой-нибудь необычный и смешной способ обнаружить это снова.

Я сидел рядом с ним на камне, упершись подбородком в колени, и пытался проникнуть в суть произошедшей с ним перемены.

Я посмотрел ему в глаза и потом почти целую минуту, не говоря ни слова, удивляясь, как я мог знать так много, когда был им. Я был неглупым парнем, это точно, но мне еще нужно было многое узнать. Я не был *так* умен.

И тогда я наконец понял — улитка, завершившая долгий-долгий путь.

Дикки обернулся и, не мигая, посмотрел мне в глаза, прочитал мои мысли, и в уголке его губ ужасно медленно начала появляться крошечная улыбка.

— Позволь мне угадать, — сказал я ему. — Ты все время знал, правда? Ты хотел, чтобы я все вспомнил не для тебя, а для себя. Все эти месяцы, каждая минута, проведенная с тобой, была испытанием.

Он не подтвердил мою догадку, но и не отверг.

— Пай?

Через какое-то время он едва заметно кивнул.

— Дональд Шимода?

Еще один кивок, с непроницаемым видом.

— Чайка Джонатан?

Все та же крохотная улыбка, почти неподвижный кивок, глаза неотрывно сосредоточены на мне.

Внезапно меня обожгла одна мысль, и я не смог удержаться от вопроса.

— Дикки, это ведь не ты был и Шепардом с его дурацкой книгой?

Улыбка стала шире.

Я вцепился себе в волосы, не зная, смеяться мне или плакать.

— Боже, малыш! Ты понимаешь, что ты натворил? Это же обман!

Он явно наслаждался, спрятавшись за маской ребенка, которым я был когда-то.

— Как жизнь может обмануть того, у кого есть Инструменты? — спросил он.— Как может жизнь предложить кому-нибудь тесты? Смысл в том, чтобы ты *вспомнил*!

Я должен был догадаться, подумал я. Когда я научусь ожидать не только то, что могу себе представить?

— Если ты хотел выяснить, что, как я думаю, я знаю, — сказал я, — почему тебе было просто не спросить?

Он насмешливо улыбнулся.

— И получить заполненную в трех копиях анкету — твои знания, прошедшие твою тщательную цензуру, чтобы мы, не дай Бог, не поняли тебя неправильно и не въехали в стену на скорости девяносто миль в час? Нам не нужна твоя осмотрительность, Ричард, нам нужна твоя правда! Нам не...

— НО ПОЧЕМУ? Я отнюдь не Чайка-Летящая-Быстрее-Мысли, не Спаситель мира, не многомерная форма альтернативного будущего, знающая все ответы на все когда-либо существовавшие вопросы! Почему я вам так нужен?

— Знаешь, в чем тайна, Ричард? Ты — не какой-нибудь изгнанник на заброшенную планету. Ты считаешь, что тебе не повезло встретиться с твоими другими жизнями и чему-нибудь у них научиться? *Мы!* Ты — это *мы*!

Он остановился, ища слова, которые были бы мне понятны.

— Ты ведь выбрал нас своими учителями? А мы выбрали тебя. Для тебя важно то, чему ты учишься? И для нас тоже. Ты думаешь, что мы приходим в твою жизнь потому, что ты нас любишь? Пойми, *мы тоже тебя любим!*

Я замер, вцепившись руками в камень. Почему так тяжело узнавать, что те, кого любим мы, в свою очередь, любят нас?

— Ты никогда не уходил, так? — спросил я наконец. — Ты изменял свое лицо, иногда становился невидимым, но все время ты был рядом. Включая и худшие времена: развод, банкротство, неудачи и смерть?

— Худшие в особенности.

Как я мог быть таким тупым? В тяжелейшие моменты моей жизни я всегда, всегда ощущал это тихое подбадривание: *Есть причина, по которой ты выбрал то, что с тобой сейчас происходит. Держись, Ричард, пройди через это наилучшим образом, и в скором времени ты поймешь эту причину.* Кто бы еще посмел сказать такое, кто бы посмел вмешаться, кроме наших собственных внутренних учителей, сохраняющих невозмутимость среди иллюзий?

После месяца, в течение которого он изводил меня своими вопросами, у Дикки их больше не оставалось. Мой экзамен закончился.

— Дикки, — сказал я, — ведь это ты капитан того спрятанного космического корабля, который доставит меня домой?

Легчайшая улыбка.

— Не угадал, — прошептал он. — Капитан — ты.

конец

Эпилог

Экипаж, который мы принимаем на борт своего корабля, — это навигаторы и стрелки, рулевые и советники. Они будут нашими верными друзьями в течение всей жизни. Они появляются в моменты, когда мы готовы с ними встретиться, когда нам необходимо что-либо узнать или мы просто нуждаемся в помощи.

Я почти уверен, что еще встречусь и с Джонатаном Чайкой, и с Дональдом Шимодой, и с Пай, и с Шепардом, хоть я и не догадываюсь, в чем будет заключаться мой следующий — через минуту или через сотню столетий — экзамен, и не собираюсь об этом спрашивать.

Я уверен, что это не последняя наша встреча и с Дикки. В эту минуту он смотрит моими глазами на свое прошлое и будущее, мерцающее в виде слов на экране моего настольного компьютера.

Малыш, который хотел узнать все, что знаю я, обрел свой дом. Узник, когда-то заключенный мной в темницу, теперь, поселившись высоко в моей душе, может обозревать все вокруг, забрасывая меня вопросами:

Ричард, как ты думаешь, кто ты?

Кем ты будешь?

Каким образом ты выбираешь необходимые тебе ценности?

Что ты здесь делаешь, Капитан, что бы тебе хотелось делать, и почему ты не делаешь этого сейчас?

Чему тебя учит любовь?

Все эти годы мы ждем кого-то, кто нас поймет, подумал я, кого-то, кто примет нас такими, какие мы есть, кого-то, обладающего волшебной силой превращать камень в солнечный свет, кого-то, кто сможет дать нам счастье, а не упреки, кто сможет сразиться в ночи с нашими драконами, кто сможет превратить нас в того, кем мы хотим быть. Только вчера я понял, что этот чудесный Кто-то — это лицо, которое мы видим в зеркале. Это мы и наши самодельные маски.

Через столько лет мы наконец встретились.

Вообразите это.

Литературно-художественное издание

Бах, Ричард

Бегство от безопасности

Перевод:
В. Трилис, М. Чеботарев
Редактор:
И. Старых
Редактор-консультант:
М. В. Крылов
Корректура:
Е. Введенская, Е. Ладикова-Роева, Т. Зенова
Оригинал-макет:
И. Петушков
Обложка:
С. Тесленко

Подписано к печати 19.07.2001 г. Формат 70×100/32.
Бумага офсетная № 1. Гарнитура "Миньон".
Усл. печ. лист. 13,44. Зак. 4585.
Цена договорная. Тираж 10 000 экз.

Издательство "София",
03049, Украина, Киев-49, ул. Фучика, 4, кв. 25
http://www.ln.com.ua/~sophya

ООО Издательство "София",
Лицензия ЛР №064633 от 13.06.96
109172, Россия, Москва, Краснохолмская наб., 1/15, кв. 108

ООО Издательский дом "Гелиос"
Изд. лиц. ИД № 03208 от 10.11.2000
109427, Москва, 1-й Вязовский пр., д.5, стр.1

Отпечатано в полном соответствии
с качеством предоставленных диапозитивов
в ОАО «Можайский полиграфический комбинат».
143200, г. Можайск, ул. Мира, 93